D1448690

马来西亚
雨衣
机场，痞子蔡受到了热烈欢迎。

这是一个真实的故事

雨　衣

蔡智恒　著

知识出版社

图书在版编目(CIP)数据

雨衣/蔡智恒著．－北京：知识出版社，2000.10
ISBN 7-5015-2709-1

Ⅰ.雨…　Ⅱ.蔡…　Ⅲ.中篇小说－中国－当代
Ⅳ.I247.5

中国版本图书馆CIP数据核字(2000)第70730号

责任编辑：谢　刚
封面设计：张秀菊
版式设计：张　勇
责任印制：张京华

知识出版社出版发行
(100037　北京阜成门北大街17号　电话：68343259)
河北省大厂回族自治县第一胶印厂印刷　新华书店经销
2000年10月第1版　2000年11月第4次印刷
开本：850毫米×1168毫米　1/32　印张：7.25　插页：6
字数：138千字　印数：90001－100000册
定价：13.80元

痞子蔡档案

蔡智恒　网名：痞子蔡

1969 年台湾第一次贸易出超。

11 月 13 日，我来到了俗世红尘。12 月 12 日报户口，以致旁人皆误会我为射手座。我喜欢这误会。幼儿园没毕业，念了两次中班，在天主堂。所以我并不信天主教。

1975—1981 年念布袋国小。

前三年成绩很差，曾被误认为是低能儿。1979 年第一次接触金庸小说《倚天屠龙记》，从此成为金庸迷。

1981—1984 年念布袋国中。

男女同校了三年，竟没有一个女孩子说她喜欢我。此为布袋国中七大奇案之一。1981 年第一次接触安达充的漫画，从此成为安达充迷。

1984—1987 年念台南一中。

在班级杯台球赛以两球之差，败于台球社社长之手，从此封拍。三年间不请假、不缺席、不迟到、不闹绯闻。

1987—1991 年念成大水利。

1987 年在成功厅舞台上大跳脱衣舞，得到土风舞赛亚军。1990 年职棒成立，味全是我的最爱，从此为成龙迷。

1991—1993 年念成大水利研究生。

第一次打垒球，创下九个守候位置皆曾先发的纪录，平均打击率超过五成。

1993—2000年念成大水利博士。

1997年9月遇见轻舞飞扬，1998年3月写下了《第一次的亲密接触》。1999年8月《7—ELEVEN之恋》出版。1999年11月《第一次的亲密接触》简体字版面世。

2000年9月取得博士学位。

2000年10月《雨衣》简体字版正式出版。

痞子蔡的网站：

http://mail.isdn.com.tw/~john/jht.htm

http://i.am/jht

丛书序

郑杭生

网络社区(Web Communities)的出现，使我们不仅生活在现实社区(Real Communities)之中，而且也生活在虚拟社区(Virtual Communities)之中；不仅要与平民(Citizens)打交道，而且要与网民(Netizens)打交道，不仅要面对以前熟悉的普通文化，而且要面对大多数中国人还很新奇的网络文化；不仅要用面对面的、亲身参与的沟通(in-person communication)，而且还要用依赖电脑网络传达的沟通(computer-mediated communication)。这种在网络社区、网民之间，在网络文化氛围之中进行的沟通，无论在交流的广度和深度、在信息的数量和质量、在所起的作用和影响上，都有别于现实社区中的沟通与交流。例如：这种沟通，将以前电话的点与点之间的通信交流方式推进到点与面的交流，承接的信息量呈几何级数那样扩展；这种沟通，自由度极高，速度极快，匿名性极强，且在内容上极具前瞻性；这种沟通，容易失序、失范，容易产生虚拟与现实的反差，管理难度大、管理成本高，等等。

网络现象的出现，具有重大的社会学意义。社会学，在我看来，是一门关于社会良性运行和协调发展的条件和机制的综合性具体科学。它对网络社区这样一种新型社区，网民群体这样一种新型群体，网络文化这样一种新型文化，网络沟通这样一种新型沟通，当然不会视而不见，漠不关心。作为本学科研究的新的领域，社会学一定要并且已经从本学科特有的视角、运用自己特有的方法对它们进行研究，阐明它们在促进社会进步中所起的巨大的作用，揭示它们所引发的种种新的社会问题，一句话，研究它们对社会运行的正负两方面的影响，研究虚拟社区与现实社区的良性互动和协调发展、避免恶性摩擦和畸形发展的条件和机制。网络社区研究资料丛书就是在这一背景下出版的。

网络小说，作为网络文学中最常见、影响最大的一种文学形式，属于网络文化的范畴。它以网络社区为依托，以网民群体为对象，以网络沟通为手段，而存在，而传播，而发展。它一方面具有网络文化的共性，同时又有自己的个性。这里可以简要分析一下网络小说的作者、读者、评论者几种不同的角色。

就网络小说作者的角色来说，他与每个参与沟通的网民一样，都拥有充分的话语权。他用自己认为满意的小说话语，无需经过批准审查，通过网页发布问世，行使和实现这一话语权，以此给其他网民和现实社会以这样那样、或正或负的影响。在信息时代，话语权是一种实实在在、越来越重要的权力。从理论上说，每个参与沟通的网民，都拥有充分的话语权，都可以作为一个作者，但真正能够行使和实现这种小说创作话语权，真正能够成为小说作者、特别是优秀网络小说作者的，毕竟是少数。因此，能够成为这样的作者是很幸运的，是值得珍视的。但是作者也必须认识到或自觉到自己的限度，第一，权利与义务是统一的。由于作者有充分行使话语权的极高的自由度，同时他也必须有相应的极强的社会责任感。缺乏甚至丧失社会责任感的滥用自由度，不仅会毒化网络世界，危害他人和社会，而且于自己也是失败的开始。第二，网络小说作者的话语权是受到网民读者的选择权、网民评论者的评论权制约的。为所欲为、恣意妄为、不考虑读者和评论者而缺乏必要的自律，同样不仅会毒化网络世界，危害他人和社会，而且于自己也是失败的开始。这就是说，在一定的才能的基础上，扮演一个负责的作者的角色，是网络小说促进虚拟社区与现实社区的良性互动、促进社会良性运行的条件之一。

就网络小说读者的角色来说，他与每个参与沟通的网民一样，都有充分的选择权。人们可以根据自己的兴趣、爱好、需要，浏览自己想看的几乎任何信息资料，包括阅读众多的网络小说。但是，真正行使好这种选择权并非易事；有选择权与善于选择是两回事。在网上，并非凡上网就有益，也并非阅读任何一本网络小说都有益。在网络世界的信息海洋中，良莠难分，精芜并杂，既有文化品味高尚、能够催人向上、陶冶精神、提升素质的精品之作，又有诲淫诲盗、宣扬暴力、鼓吹低级趣味的精神鸦片。这就是说，越有充分的选择权，就越要注意选择的慎重性。这样做对那些负责地使用话语权的作者是一种鼓励，而对那些丧失社会责任感而滥用话语权自由的作者是一种制约。相反，如果读者误用滥用这种充分的选择权的极高自由度，把它作为沉湎于后者的借口，于己有百害而无一利不说，同时也是对那些滥用话语权的作者的一种鼓励，为精神鸦片的泛滥增加了一份市场，不利于净化网络世界。这说明，不断提高自己的素质，扮演一个负责的读者的角色，是推动网络小说与现实社区的良性互动、促进社会良性运行的另一个条件。

网络小说评论者一般是读者中有评论能力的。他在阅读网络小说后，行使另一种话语权——评论权，或肯定、或否定，或表扬、或批评。如果说，一般读者用选择或不选择来进行自发的、隐性的、无形的评论，那么，评论者则是用评论的话语，自觉地、显性地、有形的评论。这里，评论就是一种引导。一个高品位的评论者，既帮助作者进一步认识应该写作什么样的网络小说，如何提高写作的质量和水平，也帮助读者理解应该阅读什么样的网络小说，如果提高阅读的质量和水平。这种评论对推进网络小说健康发展是十分重要的。而那种相反的评论，则是为精神鸦片为虎作伥。这是为负责的评论者所不取的。

网络世界和现实世界的互动应是双向的。前者可以作用于后者，后者也应作用于前者。作用的方式多种多样。除了社会的第一部门——政府组织制定网络传播的相关法律规范、奖惩办法和技术标准等进行宏观管理外，第二部门——企业等赢利组织和第三部门——非赢利的其他组织，都是可以有所作为的。

网络社区的出现，给社会学研究带来一系列新课题。由于网络现象出现的时间尚短，还在发展过程之中，许多问题尚未充分展现，也使我们的研究存在一定的困难。网络小说的描述，在一定程度上有助于人们了解网络社区中的人际关系、人在网上的心态以及虚拟社区与现实社区之间的区别与联系，也为社会学的研究提供了部分资料，值得我们重视。

知识出版社精选网络小说及其他网络作品出版，不仅适应了我国网络社区还是现实社区的补充、上网花费大等实际情况，而且对于帮助读者识别真善美和假丑恶，支持和鼓励作者多写好小说，多出精品，引导网络小说的健康发展，具有非常积极的意义。这是现实世界积极作用于网络世界的一个范例。

在网络社区研究资料丛书出版之际，能够应邀从社会学的视角写下上面这些话作为序言，感到非常幸运和高兴。

2000 年 4 月 2 日

目录

雨衣

enter

雨 衣

天气，是不应该如此闷热的。
这种天气让我想起七月中的台北晌午街头。
拥挤车阵排放的废气，高楼冷气机释出的热气，
在烈日的酷晒下，让温度计里的水银柱不断向上攀升。
台北盆地似乎变成西游记里的火焰山。
很想拜托孙悟空去向铁扇公主借芭蕉扇，扇去所有的火气。

但我并不在台北，而是在台南；
现在也不是七月中，而是五月底。
一连好几天了，天气就是这般地跟你耗着，丝毫没有妥协的迹象。
人还可以躲进冷气房里避暑，但狗就没这么幸运了。
听说狗的舌头因为伸出过久，常有肌肉抽筋的现象。

我住公寓的顶楼，是最接近上帝的地方，也最容易感受到上帝的火气。
穷学生没有装冷气机的权利，只好勉强把电风扇当做芭蕉扇来用。
奈何电风扇无法降低上帝的火气，我仍然挥汗如雨。
去研究室吧！我心里这么想着，因为研究室有台冷气机。
如果天气一直这么闷热，那么不得不常跑研究室的我，
大概很快就可以完成我的毕业论文。

冲个冷水澡，换掉早已被汗水濡湿的衣服。

next

雨衣

背上书包，带着两本书充当细软，我像逃离火灾现场似地奔下楼。
跨上摩托车，为了贪图凉快，索性连安全帽也不戴。
虽然有个口号叫做："流汗总比流血好"，
但在这种天气下，我倒宁愿被罚500元，而使皮夹大量流血，也不愿再多流一滴汗。

拂过脸旁的风，倒是带走了一些暑气，也减缓了汗滴滑落的速度。
停好摩托车，看到校园内的那只黑色秋田犬，正伸着舌头望向天空。
顺着它的视线，我也仰起头，但并不张开嘴巴。
没想到原本是"一片无云"的天空，竟然飘来了"一片乌云"。
"下场雨吧！"我开始期待着今年夏天的第一场梅雨。

像是回应我的请求般，天空轰然响起一阵雷声。
接着而来的，像是把"柏青哥"的小钢珠一股脑地倒进盆子里的声音。
僵持了数日，雨神终于打败扫晴娘，下起了滂沱大雨……
用书包遮住头发，我再度逃难似地冲进研究室。
这情景，好像当初认识信杰的过程。

我喘了喘气，擦拭被雨水淋湿的眼镜。
虽然没有强风的助威，但窗外的树影依然摇曳不止。
没想到雨不下则已，一下便是惊天动地。

next

雨　衣

紧闭的窗户似乎仍关不住雨的怒吼，靠窗的书桌慢慢地被雨水所溅湿。
一滴……两滴……三滴……然后一片……
最后变成一摊。
雨水虽然模糊了我的书桌，却让我的记忆更加鲜明。

原来这场雨不仅洗净柏油路上的积尘，扑灭上帝的火气，也冲掉了封印住我和她之间所有回忆的那道符咒。
符咒一揭，往事便如潮浪般澎湃地袭来。
走出研究室，站在阳台边，很想看看这场雨是如何的滂沱。
窗外是白茫茫的一片，好像是笼罩在大雾中。
连我不经意叹出的一口气，也变白了。
不过才下午三四点钟的光景，路上的车辆却打开了昏黄的车前灯。
而五颜六色的雨衣，在苍白的世界中，显得格外缤纷。

记得那天走出“好来坞 KTV”时，雨也是这样地下着。
“雨下这么大，你带雨衣了吗?”她关心地问着。
“我的雨衣晾在阳台时，被风吹走了。”我无奈地回答。
“被风吹走了吗?真可惜。那你怎么回去呢?”
“反正我住这附近嘛!待会用脚跑，不会淋到太多雨。”

next

“那……那……那你要不要……”她竟然开始吞吞吐吐。

“要什么?”我很纳闷地问着。

“你要不要穿上我的雨衣?”

她的声音变得很小，尤其当讲到“雨衣”两字时，更几乎微细得不可闻。

“不用了。你也得回去，不是吗?”我微笑地婉拒她的提议。

雨下这么大，根本没有停歇的迹象。

我再怎么厚脸皮，也不至于穿上她的雨衣，而把她留在这里吧!?

她听了我的回答后，脸上却显现出非常失望的表情。

仿佛我拒绝的，不是一件雨衣，而是她的心意。

“你怎么了?我说错话了吗?”

“没什么。你千万不要淋成落汤……A-No……落汤什么呢?”

“那叫落汤鸡。我教过你的，你忘了吗?回去罚写‘落汤鸡’十遍。”

我开玩笑似地交待。

“Hai!遵命。我下次上课会交给你，蔡老师。”

她又笑了。这样才对，好不容易下场雨，她当然应该高兴。

她拿出她的紫红色雨衣，慢慢地穿上。

仿佛在穿昂贵的和服般，她的动作是如此轻柔。
这是我第一次看见她穿上那件雨衣。
戴上雨衣帽子的她，好像是童话故事里的“小红帽”，轻盈又可爱。
她不是说她很喜欢穿着雨衣在雨中散步吗？
为什么我总觉得她的神情有点黯然呢？

突如其来的一阵响雷，让我的肩膀猛然颤动一下，打断了我的思绪。
也让我的魂魄从“好来坞 KTV”外的雨夜，回到研究室外的阳台边。
我依旧是独自站着。
而雨，仍然滂沱。
原来即使身边没有她，雨也还是会下的。

“学长，被雨困住了？”正好路过的学弟好心地问着。
困住倒不至于，因为她后来还是把这件紫红色的雨衣送给了我。
而我一直把这件雨衣锁在研究室的档案柜里，从未穿过。
因为如果天空下着小雨，我舍不得穿；
若下起这样的大雨，我也不想让倾盆而下的雨，无情地打在这件雨衣上。
所以我还是回到研究室，煮杯咖啡，让咖啡的香气弥漫整个房间。
坐在书桌前，享受着被雨隔绝的孤独。

next

并让雨声引导我走进时光隧道，回到刚认识她的那段日子……

□ □ □

她叫板仓雨子，一个很喜欢微笑的日本女孩。
昭和 47 年(1972 年)出生于和歌山县附近的一个小山村，10 岁时移居大阪。
平成 6 年(1994 年)京都大学中国语言与文学系毕业后，又只身来台湾学习中文。
虽说是来学习中文，但除了有很明显的日语腔调外，她的中文却已经说得相当流利。
认识板仓雨子算是个巧合吧!是信杰介绍我们认识的。
信杰是我的好友，那时在成大历史研究所念硕士班。
他是个怪人，大学联考时竟然选择历史系为第一志愿。
因为他说他喜欢念历史，并喜欢化身为历史人物。
所以有时他是谈笑破曹兵的周瑜，有时是牧羊北海边的苏武。
他最喜欢说的一句话就是:
“人类从历史上学到的惟一教训，就是人类无法从历史上学到教训。”
我想信杰显然没有从历史上学到教训，因为他父亲也是念历史的。

遇见板仓雨子的前一年，我跟信杰在图书馆认识。
那天午后，天空忽然下起了雨。
正在校园内闲逛的我，只好往最近的建筑物飞奔以躲

next

雨。
很幸运的，这是学校的图书馆。
我擦了擦满脸的雨水，脱掉湿外套，并整理一下狼狈的神情。
然后在陈列历史书籍的区域，随手翻书打发时间。
这阵骤雨，来得急但去得并不快，持续了几个小时。
我只好从秦始皇统一中国，看到鸦片战争。

在书柜的角落的地上，我捡到一张学生证。
失主叫“谢信杰”，成大历史研究所硕士班一年级。
相片中的他理个平头，戴个黑色方框眼镜，颇有学者的架势。
我把这张学生证拿到图书馆还书的柜台，请他们代为广播。
半分钟后，信杰气喘吁吁地跑来：
“谢谢你……谢谢你……真是非常谢谢你……”
信杰的客气，令我印象深刻。也许是因为我很喜欢历史的缘故，所以我对历史系的学生有种特殊的好感。

“不客气……不客气……你实在不必客气……”
我像只鹦鹉般，顽皮地学着他讲话的语气。
“受人点滴，小弟泉涌以报。”
果然是文学院的高材生，一出口便知有没有。
“区区小事，兄台何足挂齿。”
我们相视一笑，然后握了握手。我就往门口走去。

雨还是不停地下着，也许刚刚应该看到中法战争或是甲午战争。

“同学，被雨困住了?”

我转过身，信杰撑开了伞微笑地说着。

我苦笑地耸耸肩。

“一起去吃个饭吧! 我请你，算是报答救命之恩。”

“你太客气了，我只是刚好捡到你的学生证而已。”

“对学生而言，证在人在，证亡人亡。所以你算是救我一命。走吧! ?”

虽然天色无“晴”，但信杰却很热情。

我不好意思拒绝他的好意，于是点点头。

信杰的雨伞不算大，为了避免淋湿，我们紧紧地靠在一起。

还好我们俩的袖子都很完整，没有“断袖之癖”，

不然在这种气氛下，耳鬓厮磨的结果是很容易擦枪走火的。

我们走到学校的餐厅吃饭，边吃边聊了起来。

“同学，该怎么称呼你?”信杰很客气地询问着。

“我现在是博一，你应该叫我学长。但我小你一岁，你也可以叫我弟弟。所以你最好叫我学长弟弟，而不是叫我同学。”

“哈哈哈……你真有趣。我先自我介绍好了，我叫谢信杰。

‘谢’是淝水之战大破前秦苻坚百万大军的谢安的谢；

‘信’是桶狭间会战中击溃今川义元的织田信长的信；
‘杰’是崖山战役败给蒙古而导致南宋灭亡的张世杰的杰。”

我先是愣了一愣，然后笑了出来。
没想到信杰的自我介绍，会这么有趣。
我想了一下，学着他的语调，也这么自我介绍：
“我叫蔡智弘。‘蔡’是东汉末年发明造纸的蔡伦的蔡；
‘智’是在本能寺叛变杀掉织田信长的明智光秀的智；
‘弘’是自号十全老人的清高宗乾隆皇帝的名讳弘历的弘。”
其实我通常都是告诉别人，“智”是智慧的智。
不过既然信杰想当织田信长，那智弘就只好舍命陪君子而成为明智光秀了。

“哈哈哈……请你以后叫我信杰就可以了，千万别叫我织田信长。”
“那也请你叫我智弘好了，不用叫我明智光秀。”
“智弘，没想到你也知道日本战国史。”
“其实也还好，前阵子刚翻完一套《德川家康全集》。”
“喔?真的吗?那我问你，你喜欢德川家康这号人物吗?”
“谈不上喜欢，不过比起狂妄地想吞并明朝的丰臣秀吉，还是德川可爱点。”

“其实对历史人物的评价，常常有主观的好恶情感，很难有客观标准，而且有时还会搀杂民族性这种复杂的因素。”

“怎么说?”

“比方以德川家康而言，尽管日本人因为德川幕府的锁国政策导致西方列强入侵的屈辱而迁咎他，但现在日本人仍是非常推崇德川，尤其欣赏他在劣势下的隐忍性格。外国人甚至相信，日本能在战后迅速复兴的主要原因，正是因为日本人或多或少都有这种德川性格。”

信杰用右手无名指推了推眼镜，接着说：

“但如果德川家康让中国人评价呢?或许同样也是杀了妻子的德川，会像吴起一样，背负杀妻求将的嘲讽。不过呢……”信杰停顿一下，喝了一口水。

“不过什么?”

“不过日本人倒是很赞许他这种杀妻的行为。”

我学着信杰，用右手无名指推了推眼镜：

“也许只因为日本女人在战国时代根本没地位，所以杀妻跟杀狗没什么差别。

也许日本的历史学者普遍怕老婆，所以潜意识里欣赏敢杀掉老婆的德川。”

“哈哈哈……智弘，我们将来一定会成为好朋友的。”

“为什么?”

“因为你的观点很好玩，虽然胡扯，但也可以提供另一种看历史的角度。”

“信杰，我们现在已经是好朋友了。不是吗?”
“嗯，不错。”
信杰的博学开朗，给我留下深刻的印象。
如果能跟他成为好朋友，自然是求之不得的事。

信杰果然是念历史的，当话题转到历史上时，他便侃侃而谈。
从秦始皇嬴政，到清宣统帝爱新觉罗·溥仪，他几乎是了如指掌。
“信杰，你一定没有女朋友。”
“咦?你怎么知道?”
“我想不会有一个女孩子能耐得住性子听你说完中国历史的。”
“哈哈哈……说得也是。可是我真的很喜欢聊历史故事。”
“那你应该改念美国史才对，短短两百年，一下子就说完了。”
“哈哈哈……你在讥笑美国喔!”

话匣子既然已经打开，信杰索性提到了他的糗事：
“有次跟一个女孩子谈到唐高宗李治时，我说我温和的个性很像李治。她突然说她像武则天，所以准备要谋夺大唐江山。”
“然后呢?”
“我当然不肯认输，于是化身做唐玄宗李隆基，再度中兴唐室。”

“信杰，你的反应很不错。”

“谁知道她的反应更快，她说她可以变成杨贵妃，照样搞垮大唐江山。”

“嘿嘿……这女孩很特别喔! 你应该好好把握。”

“唉……只可惜在我化身为郭子仪欲平定安史之乱前，她就走了。”

“信杰，你太无趣了。你应该多谈点风花雪月的。”

“没办法，这是我的职业病。学妹们常帮我介绍女孩子，但没有人能忍受我的枯燥。我的专长是能够马上说出任何历史上大事件的发生年代，却不能一眼看出女孩子的出生年代。”

“我也有职业病。我是念水利的，我的专长是能依水沟内杂草的生长状况判断这条水沟到底有多久没疏浚，却不能一眼看出女孩子到底有多久没交男友。”

“智弘，我们算是同病相怜。”

“嗯。但是你病得比较重。”

“哈哈哈……历史系的女孩很多，改天介绍几个让你认识。”

“那先谢谢你的大义灭‘亲’了。”

我们很有默契地同时眨了眨眼，然后相视一笑。

信杰说像我们这种交情比较不会“见异思迁”。

换言之，即不会因为看见“异”性而想改变友情。

经过那次在餐厅的聊天后，我跟信杰变得很熟稔。

我常到他住的地方看书，他的房间并不算大，五坪左右，但几乎堆满了历史书籍。
我室友也是如此，不过我室友的房间内堆满的是PLAYBOY。
所以，对于爱看历史故事的我而言，信杰的房间是排遣时间的最佳去处。

信杰和我一样在外面租房子，我们很巧地住在同一条路，但不同巷子。
他的室友有两个，一男一女，男的是他的同班同学，女的则是他学妹。
真是“一门忠烈”，全都是念历史的。
信杰的男室友叫陈盈彰，据信杰的说法是：
“陈是陈词滥调的陈，盈是恶贯满盈的盈，彰是恶名昭彰的彰。”
另一个学妹的名字，信杰说了几次，我却始终记不得。
我只知道她是成大田径队的，专长是“三铁”，还参加过大专杯赛。

虽然我常去信杰的住处，但我跟信杰的室友们，并不太熟。
偶尔碰面时，也只是点个头、打声招呼而已。
直到有次我们四个人一起打麻将，才算是“以赌会友”。
那次是因为那个历史系学妹看到了一只老鼠，于是大声尖叫。

信杰和陈盈彰为了逮住它，开始彻底搜寻整间屋子。

不过老鼠没找到，却发现了一副麻将。
信杰说看到麻将不打的话，会遭天谴，于是提议打牌。
“我们只有三个人而已，三缺一怎么办?”陈盈彰搓着发痒的手说道。
“别看我，我认识的朋友都是道德高标准，才不会打麻将呢!”
历史系学妹坚定地说着，却忘了她自己是会打麻将的。
“唉……三缺一的确是人生四大痛苦事之一。”信杰感慨地说着。

人生四大乐事，众所周知：
“久旱逢甘霖，他乡遇故知；洞房花烛夜，金榜题名时。”
而人生四大痛苦事，信杰则说成：
“野外骑车被雨淋，他乡跑路仇人知；炎炎夏季停电夜，打牌三家缺一时。”

“我想到了!我认识一个工学院的学生，他一定会打牌。”
信杰突然很兴奋。
“你怎么知道他一定会打?”陈盈彰疑惑地问道。
“工学院学生接触的都是方程式和数字，礼仪廉耻的观念比较淡薄。”
“学长，你讲话好毒。”历史系学妹笑着说。

于是信杰拨了电话给我，在电话中他说：

“欲破曹公，宜用火攻；万事俱备，只欠东风。”

“你在说什么？干嘛学孔明说话？”

“简单地说，我们要打麻将，但只有西南北三家，所以想找你来当东风。”

“真是的，三缺一就直说嘛！”

“智弘你会打吗？”

“开什么玩笑？我当然会打！待会儿我用左手让你。”

30元为底，10元一台，对学生而言，是属于即使输钱也不会破坏交情的价位。

信杰那天的手气不好，一家烤肉三家香，而我则是最香的人。

北风北，信杰绝地大反攻，竟让他连七拉七。

原本他烤肉烤得好好的，突然开始闻香了，轮到我们三人烤肉。

要连庄第八次时，陈盈彰往牌桌上抛出一条手帕。

信杰掷骰子的手突然停顿，然后问道：“小陈，你丢手帕干嘛？”

“表示投降啊！拳击比赛时教练往场上丢毛巾就表示认输不打了。同理可证，牌桌上认输不打就该抛手帕。”

“哇哈哈哈……”信杰一面数钱，一面笑着说：

“牌桌的输赢跟历史的兴衰一样，总是变幻莫测，冥冥中自有天意。我就好像斩白蛇起义的汉高祖刘邦，虽然屡战屡败，东逃西窜，但最后却在垓下之役猪羊变色，让项羽演出霸王别姬。”
赢了钱的信杰，志得意满地高谈阔论，并模仿刘邦击股而歌：
“大风起兮云飞扬，威加海内兮归故乡，安得猛士兮守四方。”

信杰如果是刘邦，那我就是项羽了，因为赢最多钱的是我。
我联想到项羽被围困在垓下时，穷途末路的悲惨。
“力拔山兮气盖世，时不利兮骓不逝，骓不逝兮可奈何，虞兮虞兮奈若何。”
轮到我学起项羽，准备跟虞姬告别。

“美人虞姬在此！”历史系学妹突然大叫了一声，吓我一跳。没想到她竟也跟着唱了起来：
“汉兵已掠地，四方楚歌声。大王意气尽，贱妾何聊生。”
她壮硕的体格学起虞姬的身段，把美人虞姬变成娱乐嘉宾的“娱姬”。
如果真要带这个虞姬回到江东，我倒宁愿自刎乌江边。

只剩下陈盈彰没有疯而已。
于是信杰的眼光飘向他，看他能变成哪一个栽在刘邦手下的历史人物。
“我乃淮阴侯韩信是也。刘邦啊刘邦，没有我韩信，哪

next

有汉朝的建立?没想到你统一了天下以后，第一个要对付的功臣，竟然是我!唉……”
抛手帕的陈盈彰，不甘示弱地学起了韩信，沉声吟道：
“高鸟尽兮良弓藏，狡兔死兮走狗烹，敌国灭兮谋臣亡。”

那次牌桌上的垓下之役后，刘邦大发慈悲请我们到东宁路喝啤酒吃卤味。
“反正这是一笔不义之财嘛!”刘邦很干脆。
哪里不义了?这可是我家教的血汗钱!
在吃吃喝喝后，我也开始熟悉像韩信的陈盈彰和自认为是虞姬的历史系学妹。

陈盈彰有两个女朋友，一个在台南；另一个在台北。
住台南的，认识时间较短；住台北的，认识时间较长。
陈盈彰常说：“得天时者必失地利。”
所以认识得愈久，住得愈远。
“那你比较喜欢谁?”我有次很好奇地问他。
“我是天秤座的，当然公正不阿，绝不偏袒。”

我却始终记不得这个历史系学妹的名字，我只好一直叫她虞姬。
她总说只要我有胆子叫她虞姬，她就有胆子承认。
身高 1 米 72，还练过举重的虞姬，其实是个很细心的女孩子。
信杰租的那间屋子的大小事务，通常是她在打理。

虞姬说她跟她男朋友认识的过程，是个“意外”。
那是有次她在校园中跑步时，跟一个骑自行车的男孩擦撞而认识的。
不过，被撞倒的是那个男孩，而不是虞姬。
后来，他就成了虞姬的男友。
所以，我一直引以为戒，并提醒自己在校园骑车时千万要小心。

1994 年，一个凉爽的九月天，信杰打电话给我：
“你好，我是刘备的不肖儿子刘禅。智弘在吗?”
信杰的坏习惯又来了，他八成正在研究三国史。
“我不是智弘，我是在当阳长坂坡单骑救主的赵子龙。”
“哈哈! 智弘，为了答谢你的救命大恩，今晚带礼物来帮我庆生吧!”
就在当晚信杰的生日聚会中，我第一次看见了板仓雨子。

其实最早认识板仓雨子的人，不是我，也不是信杰，而是虞姬。
虞姬在 1994 年的暑假，有“中国现代史”的暑修课程。
而板仓雨子在 1994 年 7 月初来台湾后，虽然一直在中文系上课，也同时在历史系旁听中国现代史。

中国现代史的任课老师，是个老学究，经历过第二次世界大战的蹂躏。
有一次上课时，讲到这段历史，竟不由自主地流下眼泪。
声泪俱下的他，仍不断地控诉日军侵华的暴行。
板仓雨子也不知道从哪里产生的勇气，竟然怯生生地举起手来发问：
“老师，对不起。我在日本念高校时，历史书上不是这样写的。”

虞姬就在那时，才知道坐在身旁的板仓雨子竟是日本人！
课堂上的气氛突然变得凝重，虞姬开始担心老师的反应。
结果老师只是重重地叹了一口气，然后说：
“唉……想不到刻意遗忘这段历史的，除了中国人外，还有日本人。罢了……下学期开学后，你来修我的课吧！我会教你正确的历史。”

下了课后，板仓雨子主动询问虞姬一些选课事宜，
并一直耿耿于怀老师刚刚的那段控诉。
“Hon－Do?（真的吗？）”板仓雨子睁大了眼睛问着虞姬。
“是真的吧！？台湾的历史书上是这么写的。毕竟我们都没经历过那个年代。”
虞姬的回答其实很客观，同一桩历史事件，日本人如果有自己的说法，那么台湾人何尝不会也有自己的一套说

辞呢?
历史的真相不应被扭曲，但记录历史的人，却各有立场。

于是虞姬成了板仓雨子的第一个台湾朋友。
虞姬常主动邀板仓雨子吃饭，也常带她逛街。
通过虞姬的介绍，板仓雨子也认识了信杰和陈盈彰。
但在信杰的生日聚会前，我一直没机会认识板仓雨子。

虞姬后来说她对日本人也没什么好感，除了“少年队”的那三个帅哥外。
“那你们怎么会从那时候就成为朋友?”我很好奇地问她。
“嗯……她很亲切吧!”虞姬想了半天，挤出了这个理由。
“亲切?是不是‘亲’自体验才会有‘切’身之痛?”我仍然半信半疑。
“你别瞎扯。可能是因为板仓雨子的眼神很诚恳。”
“诚恳?诚恳可以用来形容眼神吗?那我的耳朵看起来会不会很实在?”
“唉呀!反正我就是知道她是一个很好的女孩子啦!”

在信杰的生日聚会中，虞姬也带了板仓雨子参加。
于是信杰介绍了她:
“智弘，这位是我在历史系新认识的学妹……”
他指着一个从进门开始，就没停止过微笑的女孩。

她一直跪坐在坐垫上，仔细聆听每个人的谈话，却从不插嘴。
明亮的眼睛，白皙的皮肤，还有那两颗几乎可以媲美吸血鬼的虎牙，使她看来实在不像是中土人物。

“Hai! Wa－Da－Si－Wa ITAKURA AmeKo Desu’Ha－Zi－Me－Ma－Si－Te, Do－Zo, Yo－Ro－Si－Ku。”
她霍地站起，对我行了一个标准的90°鞠躬礼，
并用流利的日文阻断了信杰的话题。

哇ㄉㄟ!讲啥米碗糕?原来她真是番邦姑娘!
我求助似地望了望信杰，他却只是微微地扬起嘴角，一看就知道他在忍住笑意。
我搔了搔头，不知如何应对，一脸愕然地愣在那儿……

“对不起，我是板仓雨子。初次见面，请多指教。”
她赶紧改口，用带点特殊腔调的中文重新讲了一遍，并又鞠了一个90°躬。
“我叫蔡智弘，也是初次见面，也请多指教。”

信杰看到我们的糗样，终于忍不住笑了出来。
“AmeKo，智弘是工学院的学生，人还不错，你以后可以请他多帮忙。”
信杰指着面红耳赤的我，向同样也是面红耳赤的她这么介绍着。
“Hai!蔡桑，以后请多多照顾，A－Ri－Ga－Do。”

她红着脸回答，但仍然没有忘记 90°的鞠躬礼。
而我这次，又不好意思地搔了搔头。

"智弘，这块拿给 AmeKo。"
信杰切了一块蛋糕，努了努嘴角，往 Ameko 的方向指去，并把音量放小。
我猜不透为什么信杰一副神秘的样子，该不会想整我吧!?
我纳闷地拿起这块蛋糕，端给了她。
"板仓小姐，请用。"
"A－Ri－Ga－Do。蔡桑，你叫我 AmeKo 就可以了。"
"A…A…Ame…"
"阿妹"了半天，还是不知道接下来要怎么念。

"A…me…Ko。Ame 是'雨'的意思；Ko 是'子'，所以我叫 AmeKo。"
她微笑地解释着。
"AmeKo，在台湾还习惯吗?"
用这句话当开场白，虽然不甚够力，也算合情合理。
不然要问啥?难道问她为什么跑来台湾学中文?
这种问题她一定被问烦了，而且搞不好只是她吃饱饭没事干而已。

"一切都还好。台湾是个很好的地方，我很喜欢。"
"跟人沟通没问题吧!?"

"嗯。只是有时听不懂台语。"

"在台南，听不懂台语的确有点麻烦。"

我附和地说着。然后就不知道要扯什么了。

而 AmeKo 跟我讲话时，总是微笑地看着我的眼睛，并专注地聆听。

因为怕她听不懂，所以我刻意放慢说话的速度，并去掉较为艰涩的字句。

这样的对话，不累才怪!

"智弘，过来一下。"信杰的声音适时地化解我的危机。

"有事吗?"我走到他身旁问道。

"AmeKo 长得不错吧!?"信杰不怀好意地笑着。

"你叫我来就是为了说这个?"

"当然不是!我是要给你个千载难逢的好机会。"

"什么机会?是不是你意外保险的受益人要写我?"

"你少无聊!是这样的，AmeKo 想找人教她中文，而她也可以教日文。"

"所以呢?"

"所以就便宜你这个臭小子了。"

"拜托!为什么偏要找我?我又不学日文。"

"为什么不学日文?"

"第一，我不喜欢日本；第二，学日文对我没用。"

"没听过'不以人废言'吗?你不能因为讨厌日本人，就不喜欢学日文啊!"

“我不是‘讨厌’，只是‘不喜欢’日本人而已，这有程度上的差异。”

为什么不喜欢?我也说不上来。应该只是偏见吧!?

也许除了有历史上的仇恨外，还有对于近代日本经济上的强盛，我有着因嫉妒而产生的不满。

“智弘，我知道你对日本还有一些民族的仇恨，但所谓‘罪不及妻孥’，即使男人做错了事，他的老婆和孩子仍然是无辜的，不是吗?”

信杰的话其实有道理，奈何我的偏见也不是一天造成的。

“她可以没有罪，但不代表我不能讨厌。总之，我不想学倭寇的语言。”

“我问你，你的野狼摩托车是不是日本制的?SONY 收音机和电视机呢?还有 CASIO 计算机、科学实验用的仪器这些哪一样不是日本货?你有种就不要用这些日本货，再来跟我强调你高尚的民族情操。”

信杰终于看不惯我对日本人的偏见，开始教训我。

“这不一样啦!正因为日常生活中已经用了这么多的日本货，所以不希望灵魂也被日本污染。”

“我听你在瞎掰!你还不是照样学英文，难道你喜欢被美国污染?”

“英文是国际通用的语言嘛!怎能与日文相提并论。而且我的英文不好，所以灵魂还是很干净的。”

我说不过信杰，只好开始强词夺理。

“你别推三阻四的，要不要一句话!”

“其实我也不是真的很排斥日文，只是觉得没必要学而已。”

“你实在是不知好歹，很多学弟抢着跟我预约，你竟然敢不要!?”

“既然那么多人抢着要，你就公开比文招亲嘛!何况我是工学院的学生，中文造诣哪有你们文学院的学生好。”

“这你就不懂了。假设要教小学生加法，叫大学生去教就是‘杀鸡用牛刀’。如果AmeKo的中文程度像只鸡的话，那我们这些文学院的学生就是牛刀了。所以你这只菜刀刚好合用。”信杰拍拍我的肩膀，似笑非笑地说着。

果然是文学院的学生，连损人时也是那么地不露痕迹。

“我这只菜刀够利吗?”

“当然够利啰!而且你又姓蔡，注定就是生来当菜刀的。”

“可是……”

“别那么多可是了。更何况你的台语也可以通啊!AmeKo也想学台语。说真的，要不是因为我不会讲台语，哪轮得到你捡这个现成便宜。”

“原来如此。你是因为自己无法胜任才想到我。”

“当然啰!要不是因为你是我最好的朋友，我才不会这么照顾你。感动了吧!?”

“好啦!我答应了总行吧!”

信杰走到 AmeKo 面前，指着我说:

“AmeKo，智弘的中文程度比我高，你可以向他多学习。”

这家伙!刚说完我是菜刀，他是牛刀，现在又说菜刀比牛刀锋利。

我实在分不清是赞美还是讽刺。

“蔡桑，以后就拜托你了。”

AmeKo 露出虎牙兴奋地说着，当然她的招牌动作又出现了。

“彼此彼此，请别客气。”

从此，每个礼拜二、四的晚上七点到九点，AmeKo 会到我住的地方。

前一小时，我教她中文；后一小时，她教我日文。

我的日文程度，可以说是十窍通九窍。换言之，即一窍不通。

所以她只好从ㄚㄧㄨㄟㄡ开始教我。

而 AmeKo 的中文底子却不差，所以我根本不算是教她中文，顶多教她如何欣赏唐诗宋词而已。

偶尔再夹杂着一些台语。

因此我跟 AmeKo 的沟通，主要是靠中文。

如果中文仍然是鸡同鸭讲，就只好用英文。
虽然我的英文并不好，但已经足以嘲笑日本人了。
我也深刻地体会到微笑是人类共同语言的道理。
因为当我们彼此不懂对方语言中的意义时，总是会相视一笑。

记得第一次上课时，我问她：
“AmeKo，为何你叫‘雨子’呢?”
她说因为她是在雨天出生的，所以她爸将她取名为雨子。
原来如此。
所以在晴天出生的叫晴子，下雪时出生的叫雪子?
那么在台风天出生的，难道叫风子?
看来日本人取名字时也是很混。

她说她因此而非常喜欢雨天。
当初会选择来台湾而非大陆，有部分的理由是因为台湾多雨。
她说她也跟雨天非常有缘。
甚至在日本考高校及大学时，都碰到雨天。
“所以，我的考试成绩很好的。”
她轻轻地笑着，不忘了露出那两颗尖尖的虎牙。

后来，我很想告诉 AmeKo，台南的冬天是少雨的。
如果期待下雨，应该到台北。
这么说好了，如果台北在冬天下雨，是像家常便饭般普通，那么台南的冬雨，就会像鱼翅鲍鱼般珍贵。
可是我始终没有告诉 AmeKo，与其说怕她失望，
倒不如说我怕她真的转到台北去念书而让我失望。

AmeKo 住的地方，跟我只隔两条街，还算很近。
她有两个室友，和田直美与井上丽奈，都是日本留学生。
和田蛮胖的，肤色黝黑，听说是来台湾后常跑海边所晒的。
因为和田的家乡在日本关东地区，一年中真正的夏季最多也只有两个月。
这也难怪她非常喜欢南台湾炎热的气候。
井上的眼角上扬，颧骨较高，有点韩国人的味道。
和田的男友是香港的侨生，至于井上，听说她的男友在日本。
其实我对日本人的印象是很刻板的。
说是“印象”好像也不合理，因为认识 AmeKo 之前，我从未接触过日本人。
所有关于日本或日本人的信息，全都来自于电视、书本、漫画或是别人的意见。
日本人勤奋、守法、团结、有秩序、好色而奸诈、欺善却怕恶、自卑又自大。
我所获得的片断或者可说不太正确的信息是这么告诉我的。

而日本女人则是柔顺的最佳代言人。

上帝说如果有人打了你的右脸，你还要凑左脸让他打。
可是听说日本女人更夸张，她除了让你打左脸外，还会问你的手疼不疼。
也许夸张的不是日本女人，而是我竟然会相信这种事情，然后让它成为我的刻板印象。

幸好日本人对中国人也有刻板印象，所以我也不用太自责。
日本人觉得中国人脏、乱、自私、爱钱、蓄八字胡、留辫子、既奸诈又邪恶。
这是我看过的日本漫画中，中国人的普遍特点。
看来，“奸诈”似乎是中国人和日本人的共通点。

所以，认识AmeKo之初，更加深了我对日本女孩的刻板印象。
因为她总是柔柔顺顺，讲话时也总是带点腼腆地微笑。
不过后来又认识了和田直美与井上丽奈，让我的刻板印象来个大逆转。
那次是个耶诞夜聚会，虞姬邀了和田、井上与AmeKo来庆祝。三杯玫瑰红下肚后，和田和井上便开始肆无忌惮地高声歌唱。幸好是冬天，不然我真的觉得她们会有跳脱衣舞的冲动。
“幸好”是我用的形容词，陈盈彰用的形容词却是“可惜”。

为了当AmeKo的中文老师，也为了当AmeKo的日文学生，我特地买了张方桌。
1米见方，高度大约只有40公分，就像电视里常见的和式桌子。
上课时AmeKo在我左手边，我在她右边。
我右她左的方位，刚好符合双方国家的交通规则。
每次采跪坐姿势上课时，下半身血液循环不佳，总让我双腿发麻。
AmeKo教了我好几次跪坐要领，我却始终学不会。
我曾问过AmeKo，跪坐是否是导致日本人长不高的元凶?

“蔡桑，大丈夫比的是志气和心胸，与身高无关哦!像丰臣秀吉就很矮。”
AmeKo的回答令我佩服与诧异。
“太棒了!你果然是我的老师。”我拍着手叫好。
“我只是随便说说而已。”AmeKo有点不好意思。
“不，你讲的很对。中国人总喜欢嘲笑日本人的身高，却忘了在西方人眼里，中国人一样会被嘲笑身高。”
“也有人说日本人像钟摆，摆荡于优越感与自卑感之间。难道中国人不是?”
我不断地高谈阔论，忘了AmeKo的国籍，也忽视了AmeKo的神色。

“蔡桑，你……你是不是不太喜欢日本人?”AmeKo小心翼翼地问着。
“你怎么会这样问?”我其实有点心虚。

“因为我发觉班上有些同学好像对我并不是很友善。”
“真的吗?”
“嗯。”AmeKo很委屈地低下了头。

“原先我觉得很困惑，后来我去修了中国现代史，我才知道原因。”
AmeKo顿了顿，接着说：“可是日本的历史书真的跟台湾差好多。”
“你们的书上怎么说?”
“日本的书上通常会强调日本太小又太挤，若不出兵则无法生存。或是说建立‘大东亚共荣圈’其实是为了联合亚洲弱小民族抵御西方人入侵。再不然则会无奈地说发动战争是少数军阀的野心，与天皇及日本民众无关。”

“我也一直相信日本是二次大战的受害者，而非加害者。因为我们只强调东京被美军飞机轰炸的惨况，以及两颗原子弹所造成的人间炼狱。”
AmeKo仿佛很无辜，喃喃自语地说：
“后来面对那些对我并不是很友善的同学时，我都会觉得有些罪恶感。”
虽然我对日本书上的逃避现实很不满，但我却对AmeKo的神情更不忍。我甚至有些愧疚，因为我曾经将日本跟AmeKo划上等号。
然后将侵略与残暴无耻再跟日本划上等号。

"好像扯远了。现在是日文课还是中文课呢?"
"已经是日文课了。"AmeKo看了看表,微笑地说。
"那么今天ITAKURA桑要上什么呢?"
"蔡桑,要不要先取个日本名字?"AmeKo突然这么建议着。
我想了一下,终于还是摇头。
"对不起。我不取日本名字,我坚持。"

我想她大概不太懂"坚持"的意义,所以只是睁大了眼睛不解地望着我。
该怎么跟她解释呢?难道告诉她,我是个极端的民族主义者?
算了,这种遥远且似有若无的仇恨,是很难解释的。
虽然我已经知道把对日本人的偏见转嫁给AmeKo有失公平,但我却还死守着古老而顽固的民族的最后一丝尊严。

"AmeKo,我帮你取个中文名字吧!"
为了避免气氛尴尬,也为了怕AmeKo误会,轮到我这么建议着。
"Hai!蔡桑,请多多麻烦你了。Do-Zo!"
AmeKo讲的中文,有时还是有点绕口。

"既然你喜欢雨,那就叫小雨好了,听起来有下雨的感觉。可以吗?"

next

一时之间也想不出更好的名字，就学她爸爸用混的。

而且雨子的“子”既然无啥了不起的意义，那么小雨的“小”也不该太特别。

“小雨……嗯……小雨……”

AmeKo 歪着头，很仔细地思考着。

“Hai! Wa－Da－Si－Wa 小雨 Desu，Ha－Zi－Me－Ma－Si－Te，Do－Zo，Yo－Ro－Si－Ku。”

她突然很兴奋地站起来，然后对我行了一个 90°鞠躬礼，微笑地说着。

我们似乎都想到了第一次见面时的窘状，不禁同时哈哈大笑起来。

•

“AmeKo，那我的名字在日文该怎么念呢?”

“蔡念 Sai，智念 Chi，弘念 KoWu。所以是 Sai－Chi－KoWu。”

蔡念 Sai?很像是台语“屎”的发音。

没想到“蔡”在台语念起来不好听，在国语念起来难听，在日语念起来更是恐怖。

“Hai! Wa－Da－Si－Wa Sai－Chi－KoWu Desu，Ha－Zi－Me－Ma－Si－Te，Do－Zo, Yo－Ro－Si－Ku。”

来而无往非礼也，所以这次轮到我向她行 90°鞠躬礼。

AmeKo 又开心地笑了。

而我突然发觉，我很喜欢看她微笑时所露出的那两颗虎牙。

next

渐渐地，我喜欢上 AmeKo。
少说了两个字，我是说我喜欢上 AmeKo 的课。
她当学生时很认真，当老师时更认真。
有时我很想告诉她，我只要懂平假名还有普通的会话就可以了。
但 AmeKo 讲课时的专注和细心，让我不得不全神贯注地应付日文课。

“ Wa – Da – Si – Wa Sei – Ko – Wu – Dai – Ka – Ku No Ka – Ku – Sei。”
AmeKo 叫我把“我是成功大学的学生”念一遍。
“蔡桑，‘学’要念 Ga – Ku，Ga 是浊音，不能念成 Ka – Ku。”
AmeKo 用嘴型夸张地念出 Ga 的音，刚好露出虎牙。
“我知道我为什么 Ga 会念不好的原因了，因为我没虎牙。”
“呵呵，上课要专心，别开玩笑。”

“你知道吗?我教的是大阪腔的日语，与东京腔不太一样。”
“是吗?我懂了。那我教你的算是台湾腔的台语。”
“我跟你说真的 Ne。所以你要记得你学的是大阪腔的日语哦!”
AmeKo 很认真地交待着，好像这是一件马虎不得的事。
甚至告诉我大阪人说谢谢是 O – Ki – Ni，而非 A – Ri –

Ga－Do。
其实只要有日本人听得懂我讲的日语，我就偷笑了，谁还管腔调!

当 AmeKo 的老师也是件很好玩的事，因为她常会问许多很难沟通的问题。
“蔡桑，荔枝是什么?”
AmeKo 知道杨贵妃最喜欢吃荔枝，于是问我。
“一种水果啊!”不然我还能说什么?
“长怎样呢?英文叫什么?”
“现在不是荔枝产期，没办法请你吃。至于英文嘛，也许叫 milk chicken。”
“milk chicken。”
“奶鸡啊!”
我觉得很好笑，不管 AmeKo 的一脸茫然，自得其乐地大笑着。
“那么‘去势’呢?”
“去世就是死掉的意思。”
“不不，我是说这个‘去势’……”AmeKo 在纸上写了下来。
“这个喔! 乀……嗯……有点难以启齿。”
“是吗?是不是‘大势已去’的意思?”
“哈哈哈……对对对。去了势以后，的确是大势已去。”
与板仓老师相比，我这个蔡老师实在应该汗颜。

虽然雨子在台南，但台南的冬天并未因此而多雨。
台南冬天的干燥温暖是我喜欢台南的主要原因，不过我现在却期待着下雨。
正如 AmeKo 一样。
一直等到 11 月底的某个星期二清晨，天空才开始飘了一些雨。
那天 AmeKo 来上课时，还背了一个红色背包，我很纳闷。
我记得那时我正在教她李商隐的《夜雨寄北》：
“……何当共剪西窗烛，却话巴山夜雨时。”

我的窗户虽然面朝北方，不算西窗，但此时窗外却正稀里哗啦地下起雨来。
像是听到声响的猎犬，AmeKo 跃身而起，直奔窗边。
“Man – Zai! Man – Zai! (万岁)”
AmeKo 高举双手，情绪有点亢奋，像收到芭比娃娃的小女孩。
“Mo – Mo – Ta – Ro 桑，Mo – Mo – Ta – Ro 桑……”
AmeKo 唱起歌来，边唱边拍手。

“咳咳……AmeKo 同学，现在是上课时间。”
“是吗?” AmeKo 将她的手表凑到我面前：
“现在是 8 点 1 分，轮到我是老师了。Man – Zai! Man – Zai!”
没办法，形势比人强，我只好拿出日语读本。
“今天我们不上课，我教你唱日文歌。就教刚刚我唱的

《桃太郎》好了。”

“但我今天对日文的动词应用，有强烈的学习欲望，期待听到老师的教诲。”

我可不想学日文歌，只好装作一副很想上课的样子。

“蔡桑，你真爱开玩笑，你哪有那么用功。呵呵呵……”

AmeKo一眼就看出我在牵拖，又格格地笑着：

“唱日文歌对学日文有很大的帮助，这叫‘寓教于乐’。”

“你那叫假公济私吧。”

“呵呵……”AmeKo坐回桌边：

“我唱一句，你跟着唱。这首歌很简单，很容易学的。”

于是，《桃太郎》成了我会的第一首日文歌。

教完了《桃太郎》后，AmeKo拿出她的红色背包。

“这是什么?”我指着背包外面用橘色线绑着的东西。

“这是我考大学时在东京明治神宫求来的平安符，祈求学业平安顺利。”

AmeKo小心地解开了橘色的绳结，把平安符递给我看。

符的正中写上“明治神宫”，右边有“合格”二字，左边则为“成就”。

“有效吗?”

“很有效哦!等我回国时，我送给你。它一定能保佑你早日顺利毕业。”

“那我宁愿不能顺利毕业。”

AmeKo好像没有听懂我的言外之意，继续打开了红色背包。

“这是我的Re－In－Ko－To，rain coat的意思。中文叫……”

AmeKo写下几个片假名字母表示这是日文中的外来语。

“雨衣。这很简单啊！你怎么不会？”

“我猜也是。但我曾看到一个笑话说寿衣并不是祝寿的衣服，所以我想下雨时穿的衣服也未必叫雨衣呀！”

“大姐，您多虑了。”我笑了一笑。

“这是我念高中时买的。”AmeKo看着她的紫红色雨衣，很兴奋地说：

“我很喜欢哦！每当下雨时，我最喜欢穿这件雨衣到处乱逛。”

“为什么不撑雨伞呢？这样不是比较方便？”

“撑伞就不能体会到雨点打在身上的感觉了，下雨可是老天的恩赐呢。”

“下雨时很不方便，怎会叫老天的恩赐？”

“呵呵，我也不晓得。我只知道听到雨声我就觉得很幸福了。”

AmeKo双手�腰，挺起胸膛：

“而且我叫雨子呀！不喜欢雨天的话，岂不有损威名？”

“可是雨快停了，怎么办?”

“没关系。只要有下雨，我就很高兴了。”

AmeKo 把头伸出窗外，深深地吸了一口气：

“雨是没有国界的，大阪的雨跟台南的雨同样都令人神清气爽。你觉得呢?”

AmeKo 转过头来询问我。

“嗯。”我点点头。

没有国界的，岂止是雨。人跟人之间的微妙感情，应该也是吧!

为了贯彻板仓老师的“寓教于乐”理论，我到唱片行买了卷录音带。

所有的歌对我而言都是陌生的，因此我也不知道要挑哪卷。

正要闭着眼睛随便摸出一卷之际，发现一卷日文歌录音带里，竟然还有邓丽君的《爱人》与欧阳菲菲的“Love is over”。我买了它，隔三差五时拿来听，虽然歌曲略嫌悲调，久听却顺耳。

后来，我跟 AmeKo 间的距离好像没有了，不管是种族文化还是语言。

9 点下课后，我都会邀她看一会儿电视。

“寓教于乐嘛!”我学着她说话的语气。

“假公济私吧。”她也学我说话的样子。

有时我还会问她肚子饿不饿，然后泡碗方便面给她吃。

AmeKo 说她很喜欢台湾方便面的味道，不像日本的方便面略嫌太甜。

那一阵子，台视在每星期二晚上 10 点会播出日剧《东京爱情故事》。
AmeKo 很喜欢看，每当看到完治与莉香的对话用中文发音，她就会一直笑一直笑。
那时我的眼光就会偷偷从电视屏幕上，转移至她唇边的虎牙。
所以即使我也看了那日本电视剧好多集，我仍然搞不懂那是浪漫文艺剧?
或是幽默爆笑剧?因为我只记得 AmeKo 的笑声。
还有，如果叫雨子就会喜欢穿雨衣，那么剧中人物一定都是风子。
因为他们常穿风衣。

耶诞夜适逢周末，信杰又在住处办个聚会，虞姬也邀了 AmeKo、和田与井上。
那其实是我第一次看见和田与井上，之后因为 AmeKo 的关系才熟悉起来。
当然我对她们微醺时的豪放惊愕不已。
还有一个日本男孩也跟着来，不过我一直不知道他是靠哪个裙带关系来的。
他说他叫矢野浩二。

“Wa－Da－Si－Wa Ta－Ko(章鱼)Desu……”
他喝了一些酒后，嘟起嘴巴，并夸张地上下扭动双手，学着章鱼游泳。
虞姬、和田与井上笑得不支倒地，AmeKo 却只是应酬似地微笑。
“我喝醉了的呀！我要找东西吃的呀！哪里有吃的呀！”
“的呀”了半天，可见他讲中文时的蹩脚。
如果我是他的中文老师，我一定切腹。

他先将嘟起的嘴巴靠近和田，和田笑着轻轻把他推开。
然后靠近井上，井上也是笑着跑开。
但他却跳过虞姬，直接进逼 AmeKo。
看他还知道避过虞姬这个“三铁”高手，免得被虞姬轻轻一推导致重度伤残，我才明白这混蛋摆明了借酒装疯。
AmeKo 不敢出手推开他，又不好意思跑开，只得手足无措地在原地勉强闪躲。

“Wa－Da－Si－Wa 渔夫 Desu……”
我拿起一个抱枕充当渔网。
“我喝醉了的呀！我要抓章鱼的呀！哪里有章鱼的呀！”
我走到他身旁，毫不客气地就拿抱枕往他头上砸落。
谁说这只章鱼喝醉？他闪躲的步伐轻灵得很，倒像个练家子。

“你……”他有点发火，瞪视着我。
“我已经喝醉了的呀！让章鱼跑掉了的呀！”我假装摇摇晃晃。

“哈哈哈……还是章鱼比较聪明。”信杰赶紧笑了几声：

“喝醉的渔夫，就别出海抓鱼嘛!”信杰又轻轻推了推我。

“章鱼桑，我们再喝一杯。”

陈盈彰也马上补了一句。

“你刚刚是怎么了?矢野好歹也是客人。”

我假装到阳台透透气，信杰跟了出来，小声地说着。

“他叫矢野吗?我以为是野屎。”我口气不太高兴。

“是不是只因为他对 AmeKo 不敬?”

“不是。我只是看他不爽而已。”我有点强辩。

“智弘……”信杰意味深长地看了我一眼：“跟 AmeKo 保持距离吧!”

“还需要保持距离吗?难道日本跟台湾的距离还不够远?”我负气地说着。

原来我跟 AmeKo 虽然可以克服无形的种族、文化、语言等距离，但有形的距离，却依然存在。

信杰又进到房间后，AmeKo 就溜了出来，站在我身旁。

然而我们并未交谈，只是并肩享受着阳台上拂面而来的夜风。

过了一会，也许我们都觉得对方为何不说话，于是同时转过头去。目光相对时，AmeKo 眨眨眼睛，我便笑了起来。

“蔡桑，谢谢你刚刚帮我解危。”

“不客气。乱臣贼子，人人得而诛之。这句懂吗?”

“呵呵，我不太懂。请蔡桑教导。”

“意思就是当你碰到不要脸的章鱼时，就可以把他当‘猪’来教训。”

“呵呵，蔡桑，你这样乱教，我当真怎么办?”

后来，矢野浩二仍借机纠缠 AmeKo，不过 AmeKo 没给他任何机会。

和田有次看不过去，劝 AmeKo 说：

“同样是在台湾的日本留学生，彼此联络一下感情也很正常呀。”

“我偷偷告诉你哦……”AmeKo 忍住了笑：

“蔡桑说矢野是猪，一定要诛之。”说完后，AmeKo 还是忍不住笑了起来。

“你会被这个中文老师带坏的。”和田虽这么说，但还是陪 AmeKo 一起笑。

1995 年的农历春节来得特别早，1 月 31 日便是大年初一。

小年夜那天，我一大早就该回家。临行前，拨了电话给 AmeKo。

“AmeKo，我要回家过年了，先跟你拜个早年。”

“那你什么时候回台南?”

“起码也要一个多礼拜吧!”

“啊?好久哦。”

“嗯，的确好久。”

自认识 AmeKo 以来，从未有过如此长的分离时间，我感觉就像用同手同脚在走路般地不自然。

大年初二清晨，天空飘起细雨，我不禁想起了 AmeKo。

AmeKo 在台南好吗?这种下着小雨的天气，她一定很兴奋。

做学生的我，该打个电话向老师拜年吧!

“你好，我是板仓。请问找哪位?”

“AmeKo，恭喜发财!”

“你……你是蔡桑?”

“Hai! Happy New Year! ITAKURA 桑。”

“蔡桑，我……我好高兴听到你的声音……” AmeKo 突然抽噎了起来。

“怎么了?心情不好吗?台南没下雨吗?”

“台南虽然下雨，可是只有我一个人在家，我有点怕。”

“和田与井上呢?”

“她们都到台湾朋友家里过年了。”

“你怎么不跟着去呢?”

“我跟那些台湾人不熟。而且我不知道在台湾过年时，所有人都跑回家。”

AmeKo 委屈地说着。

“别怕。我马上回台南陪你。”

“这样好吗?你不用陪你家人吗?”
“没关系，反正忠孝不能两全。”
“这哪是忠孝不能两全?你这叫不忠不孝吧。”
AmeKo终于笑出了声，但还是不放心地问着:
“你会不会被你家人骂?”
“不会啦!反正我在家里也是无聊，我去找你玩。”
“嗯。A－Ri－GA－Do。”

我回到台南时，已经是晚饭时分。
过年期间很多商店都没营业，于是我到超市买了一些东西，然后邀AmeKo过来吃火锅。
那晚一直下着小雨，AmeKo的心情很好，虽然电视节目很无聊。
后来我们干脆到阳台上听雨声。
随着雨声的旋律，AmeKo也轻声地哼着歌。
“很好听的歌，这是什么歌?”
“这是美空云雀唱的《大阪季雨》。”
说完后，AmeKo突然学起美空云雀唱歌时夸张的手势和表情:
“Dai－Te－Ku－Da－Sai, A…Osaka Si－Gu－Re(请拥抱我吧。啊!大阪季雨)”
很少看到AmeKo类似耍宝的行径，我不禁被逗得笑了起来。
但唱到So－Ne－Za－Ki(曾根崎)时，她突然停顿下来，然后叹了一口气。

“想家了吗?”

“嗯。我刚好住在曾根崎附近，唱着唱着就开始想家了。”

我其实很想问她什么时候回大阪，却又不想听到答案，只有沉默着。

“蔡桑，” AmeKo 打破了共同的沉默，兴奋地说：

“大阪很好玩哦! 下次我带你参观丰臣秀吉建的大阪城，再到四天王寺去逛，那是日本最古老的官寺。然后我们还可以去吃全日本最大的章鱼丸子……”

AmeKo 眼睛一亮，好像我们已经置身在大阪的感觉。

“日本，好像很远……” 说完后，我在心里叹了一口气。

“12 点了，好像有点晚。我该回去了。” AmeKo 淡淡地说。

“等雨停吧!”

“嗯。雨好像快停了。”

“唉…本是缠绵夜，雨停何太急。”

“呵呵，你是不是在学曹植那首七步诗：‘本是同根生，相煎何太急’呢?”

“你猜中了，厉害厉害。你要不要破曹植的纪录，在七步内也完成一首诗?”

“别开玩笑了，我根本不行。” AmeKo 笑着摆一摆手。

“未必喔! 我走慢一点，而且死都不跨出第七步，一定让你破纪录。”

“呵呵……哪有这样的。”

“书上并没说曹丕那七步是怎么走的，搞不好也是走得很慢。”

我先将左脚高高举起，然后定格：“AmeKo，赶快想喔! 我要跨步了。”

AmeKo 陷入沉思，我则夸张似地用超级慢的速度，做出走路的分解动作。

跨出了第七步，左脚悬在半空，迟迟不肯落下。

只用右脚支撑的我，在快要失去平衡前，终于听到 AmeKo 开口：

“大阪归期未可知，连绵细雨有终时。何年同此缠绵夜，共话阳台举步迟。”

听到“举步迟”时，我哈哈笑了两声，终于将左脚放下，走了第七步。

“AmeKo，恭喜你破了曹植的纪录，完成了一首六步半诗。”

“呵呵……这是由《夜雨寄北》得到的灵感，谢谢蔡桑的配合与教导。”

其实雨早停了，但我们对于离别，似乎都觉得“举步迟”。

“AmeKo，明天去看电影好吗?”

这次打破沉默的，是我。

AmeKo 先是愣了一下，仿佛没听清楚似地问：“什么?”

“Read my lips……看—电—影。英文叫 see movie。”
AmeKo 笑了笑，然后点点头。

我本来想看西片，因为贺岁的国片通常很无聊。
但 AmeKo 说看国片还可以顺便练习中文。
“寓教于乐嘛!”AmeKo 愈来愈习惯应用中文成语。
我们看了周星驰演的《齐天大圣东游记》，我差点睡着。
“不是叫西游记吗?”
“这是故意乱取片名的，别理它。东游就只能到日本而已。”

天气虽然阴，但并不觉得冷。于是我载 AmeKo 到安平吃虾卷看夕阳吹海风。
回程时，突然下起了雨，我把雨衣从摩托车行李箱中取出:
“只有这件雨衣。我们一起穿，你在我背后要躲好喔!”
“啊?你邀我共穿这件雨衣吗?”
AmeKo 仿佛很惊讶，犹豫了一会，然后腼腆地笑着。
“是啊!咦?你为什么脸红?”
“我哪有……”后面的话我听不太懂，因为她已钻入雨衣里。

回到成大附近，雨势转小，我带 AmeKo 到光复校区对面的梦梦园喝饮料。

“呼……先休息一下。你有淋到雨吗?”我喘了口气。
“没有。你的雨衣蛮大的。”AmeKo 擦了擦汗。
“躲在雨衣里一定有点闷热,我们喝冷饮吧!”
“嗯。谢谢。”
AmeKo 给了我一个温馨的笑容。

“蔡桑,我说个发生在日本战国时代的浪漫故事给你听。”
“是武田信玄和诹访湖衣这两个人的故事吗?”
我点了两杯西瓜汁,将看起来比较满的那杯端给她。
“不是。这是我家乡的一个传说故事,很浪漫哦!”
“好啊!我洗耳恭听。”

“公元 1615 年,庆长二十年,德川家康从二条城出兵,三天后攻下大阪城,丰臣秀赖自杀,史称大阪夏之阵。之后日本战乱终止,开创了江户幕府时代……”
“你怎么讲到了日本战国史呢?”我打断了 AmeKo 的话。
“呵呵,你别心急。大阪夏之阵中,丰臣秀赖军中有名的武将木村重成,也在此役战死。木村重成麾下有位姓加藤的武士,在战乱中离开大阪,向南逃至和歌山县境内,也就是我出生的家乡附近……”
“怎么日本武士打败仗不用切腹的吗?”
“只要打败仗就切腹,日本武士早死光了,战国时代也不会持续一百多年。”

“是是是。老师说得对。”我为我的失言微笑着。

“呵呵。加藤那时身上有伤，躲在一间寺庙中。也就在那间寺庙，加藤认识了一位女子。不过这位女子姓什么我不知道，也许根本没有姓。”

“根本没有姓?”

“古代日本人除了武士阶级和朝廷官员外，一般的平民是没有姓的，通常只能叫阿X。当然有钱的商人是例外。”

“然后这位加藤武士跟阿X女子发生了什么事呢?”

“呵呵，她不叫阿X女子，我们家乡的人都叫她雨姬。”

“雨姬?为什么要叫雨姬?这跟你的名字雨子好像。”

AmeKo微微一笑，继续说道：

“据说他们是在下雨时邂逅的，后来发展出一段恋情。只可惜女方家人和村民都反对他们在一起，所以他们只好决定私奔，在一个下着大雨的日子。不过他们的行踪被发现，慌乱间逃到一座悬崖附近，加藤失足跌落，雨姬大叫了几声加藤的名字，然后也跟着跳落悬崖。”

AmeKo讲故事的口气虽然很淡，但我却被感染到当时的惊心动魄。

“之后连续下了七天七夜的雨，白天雨势猛烈，晚上飘着细雨，人们传说白天是加藤的哭泣，晚上则是雨姬。雨停后村民在悬崖下发现他们的尸体，就把两人合葬在一起。这也是我们叫那位女子为雨姬的原因。”

我点点头，表示恍然大悟。
“久而久之，在我的家乡就有了一种传统。”
“什么传统?”我喝了一口西瓜汁顺势发问。

AmeKo 看了我一眼，然后一个字一个字地慢慢说出：
“我们家乡的男孩子若要向女孩子表达爱意，又不太敢直接表达时，可以选择在一个下雨天，邀女孩共穿一件雨衣。”
说完后，AmeKo 露出她的虎牙开心地笑着。
我大惊失色，差点将西瓜汁喷出，急忙分辩说：
“AmeKo，我并不知道有这种传统。”
“呵呵，我当然知道。不知者不罪嘛!蔡桑，这句成语对吧!”

“害我刚刚差点吐血。”我指了指手上的那杯红色西瓜汁。
“不过这个传统也有点扯，加藤和雨姬的故事怎会联想到雨衣呢?难道说穿上雨衣后加藤就不会失足摔落悬崖?”
“因为年代久远，我也不是很清楚，反正这只是流传在我家乡的传统而已。”
“你们家乡的人想像力真丰富。”
“中国人想像力更丰富，就像屈原因为忧国忧民而投身汨罗江，他也没叫以后的中国人要在端午节吃粽子呀!更没料到从此中国就多了粽子这道美食。”
“嗯，有理。看来以后不能随便邀你共穿雨衣了。”

在我和 AmeKo 的相视微笑中，雨似乎下得更大了……

大年初四开始，天气变得晴朗，温度也开始回升。
这是适合出游的好天气，我载着 AmeKo 在台南市到处逛逛。
虽然 AmeKo 已经来台南半年了，但她似乎对台南的一切仍充满好奇。
尤其是台南的夜市，她特别喜欢逛。
“在日本，几乎没有所谓的夜生活，商店很早就关门了，街上很冷清。”
AmeKo 很羡慕地说：“住在台湾，真是幸福。”

接连好几天，我跟 AmeKo 到处乱逛。
“我们去看海，好吗?”
“当然好呀!”
走遍台南后，我带她往北到我出生的海边——嘉义县的布袋。
“布袋在历史上发生过什么事吗?”AmeKo 面对着大海，转头问我。
“布袋只是小地方，哪能发生什么事。”我笑着摇摇头。
其实在 1895 年，日军混成第四旅团即由布袋港登陆，经曾文溪，直逼台南。
但我不想在 AmeKo 面前提到民族间曾有的冲突。

“和田明天就回台南了。”AmeKo 仿佛自言自语地说着。
“这真是个噩耗。”我则做出扼腕的动作。
“什么?”

“这样明天我再邀你出来时，她一定会死皮赖脸地跟着。”
“呵呵，你怎么这样说她?她只是会不择手段地跟着而已。”
AmeKo 说完，突然为自己的顽皮大笑了起来。
“没错，她的罪行真是令人发指。”
“呵呵，是罄竹难书吧。”
原来和田还有这个好处，可以让 AmeKo 练习成语。

放完了年假，学校也开始上课，我跟 AmeKo 猪年的第一堂课，也该开始。
很巧的是，这天刚好是元宵节。
一改连续好几天的晴朗气候，这天清晨的气温骤降了六七度。
下午并有间歇性的雨。
我跟 AmeKo 开玩笑说，选择今天开课算是天意。

“AmeKo，今天是元宵节，待会下课后带你去看烟火?”
“Man - Zai! 蔡桑，A - Ri - Ga - Do。”
“现在是中文时间，不可以讲日文。”
“对不起。因为我太高兴了。”AmeKo 吐了吐舌头。

“既然今天是元宵节，我教你一首有关于元宵节的词，好吗?”
“好呀!谢谢。不过别太难哦!我很笨的，呵呵。”
“别学我谦虚。你如果叫笨的话，那我就是低能儿了。”
“嗯。”AmeKo红了脸，然后低下了头。

我当然不会挑太难的诗词，因为太难的我也不懂。
我猜想当初信杰坚持要我当AmeKo中文老师的最大原因就在此。
因为只要我能欣赏的诗词，一定不太难懂。
以元宵节而言，我只知道欧阳修的《生查子》。
所以我得教慢一点，不然如果AmeKo学上瘾，而喊“encore”，那我就开天窗了。

“《生查子》的发音，念起来很像台语的‘生女孩子’。但《生查子》是词牌名，与欧阳修生男或生女无关，而欧阳修也不是为了想生女孩子才写这首词，这样懂了吗?”
“嗯，我懂了。”
“还有，因为‘查’念zhā，不念chá，与人渣的‘渣’同音。因此生查子的意思也不是说‘生个像人渣的孩子’。懂吗?”
“呵呵……你好像在说废话哦!”
“咳咳……是吗?你也看出来了?”我不好意思地干咳了几声。

“所以我说 AmeKo 真是冰雪聪明。”

“为什么‘聪明’的前面，要加上‘冰雪’呢?聪明跟冰雪有关吗?”

“你考倒我了。我只知道冰雪聪明是出自杜甫的诗句，大概杜甫觉得跟水有关的东西，都会特别聪明吧!因为你的名字叫‘雨’，所以一定很聪明，而且也许雨还比冰雪聪明喔!”

“呵呵……蔡桑是念水利的，也是与水有关，想必更是聪明人。”嗯，很好。称赞 AmeKo 时还不小心夸到自己，可谓一举两得。然后我在纸上写下这首词:

去年元夜时，花市灯如昼，月上柳梢头，人约黄昏后。
今年元夜时，月与灯依旧，不见去年人，泪满春衫袖。

“咦?这首词的样子很像唐诗，它不是诗吗?”

“这是首宋词。虽然格式看起来像唐诗，但还是词。就像你的虎牙让你看起来像吸血鬼，但你并非吸血鬼的道理是一样的。”

“蔡桑，你又取笑我了。”

AmeKo 夸张似地露出她的虎牙，并作势要咬我一口。

即使 AmeKo 是吸血鬼，她也是最可爱的吸血鬼。

如果这个吸血鬼要吸我的血，我愿意吗?

“是的，我愿意。”不知不觉间，我竟脱口说出“我愿意”。

“什么?你愿意什么?”AmeKo一头雾水。

“我是说我愿意好好地教你这首词。”

“呵呵…蔡桑，你心不在……在……”

“心不在焉。焉是代名词，意思是指‘这里’。”

我当然是心在马不在焉，因为我的心在AmeKo这匹马身上。

“元宵节是中国民间的节日，街道上会张悬着花灯，因此灯火辉煌，把夜晚照亮如同白昼，既繁华又热闹。因为这天是农历十五月圆时刻，月亮特别明媚照人。趁着月亮刚升上柳梢头，街道正要开始热闹时，两人相约到街上逛。柳在中国诗词中，常常是爱情的表征，因此‘月上柳梢头，人约黄昏后’这两句很含蓄地写出两人的情意，以及相约时的愉悦。这是作者追忆去年元宵夜温馨甜蜜的景象。”

“谁知道过了一年，两人大概因为不可抗拒的因素而各奔西东。当作者又在元宵夜来到热闹的街市，看到月亮依旧明媚照人，灯火仍然满街辉煌，但是穿梭拥挤的人群中，却没有去年相聚的人。作者在街道上看着灿烂夺目的七彩花灯，在热闹的气氛中更觉得孤单和感伤。于是在不知不觉中，眼泪已沾满并弄湿了衣袖，这个‘满’字把作者的感情表达得淋漓尽致。而且整首词并没有说明两人为何离开，更留给读者想象的空间和无奈。”

“欧阳修的这首《生查子》，重点并非在描述元宵夜的灯火和月亮，而是借着两年元宵夜的景物相同，但人事已有很大的改变，在今与昔、悲与欢的对比之下，抒发心中的情意和感叹。这是一首文字浅显但情感丰富的好词。”

我讲解完这首词，叫 AmeKo 抄写一遍，再告诉我心得及感想。没想到 AmeKo 写到“泪满”时，竟真的流下了眼泪！

“AmeKo，你怎么哭了？”

“没什么，我只是突然觉得很感动而已。”

“这首词没有华丽的文字，只有平凡而真诚的感情，的确很感人。”

“蔡桑，我们待会去的地方，也会‘花市灯如昼’吗？”

“那是当然。人会很多而且非常热闹，烟火也很漂亮。”

“可是 9 点过后，月亮已不只上了柳梢头。我们那时再去，会太晚吗？”

“别担心，这场烟火盛宴会持续到很晚，所以我们‘人约下课后’就行了。”

“真的吗？”

“嗯。”

看来 AmeKo 的心思，已飞到“花市”了。

“其实唐朝崔护有首诗的意境跟这首词很像，你要学吗?”

看看手表，还有一些时间，我索性也想跟 AmeKo 提到“人面桃花”的典故。

“嗯，当然要呀!”

“不过你得答应我别再哭了。”

“我才没那么爱哭，我只是刚好想到一件事才有感触而已。”

“什么事?”

“没什么。待会有机会我再告诉你，好吗?”

AmeKo 的语气，又带点伤感。我想我还是不要追问好了。

我在纸上又写下：

去年今日此门中，人面桃花相映红。
人面不知何处去，桃花依旧笑春风。

“这首诗也很浅显，欧阳修是借着元宵夜来衬托景物依旧，人事已非。崔护则是借‘桃花’，两者表达的情境很相似。”

“中国的诗词真有意思，同样都是抒发心中相思无奈的感情，有人用‘泪满’表示，有人却可用‘笑春风’来表达。”

“哇! AmeKo，你真的很聪明。所以中文诗词应以境界为上，而不是只在堆砌一些华丽的字句。像你上次做的六步半诗就很不错。”

AmeKo 点点头，然后又拿起笔把这首诗写了一遍。

这次我学聪明了，仔细地观察她的反应。

“AmeKo，你写到‘笑春风’时，为何不真的笑呢?”

“咦?为什么要笑呢?”

“刚刚你写到‘泪满’时，就哭了。现在是‘笑春风’，当然得笑。”

“呵呵……你就是会逗我笑。”

AmeKo 终于破涕为笑，我也好不容易松了一口气。

“蔡桑，我刚刚并不叫‘哭’，不是吗?”

“你都流眼泪了，怎不叫哭?”

“你教过我的，有声有泪谓之哭，无声有泪谓之泣，有声无泪谓之号。所以我刚才只能算是‘泣’。”

“哈哈哈……AmeKo，你翅膀长硬了喔!竟然开始纠正老师。”

“不敢不敢。”AmeKo 又吐了吐舌头，接着说：

“不过现在轮到我是老师了。”

原来已经 8 点了，轮到我当个日文学生。

“ITAKURA 桑，今天上什么呢?”我拿出课本，恭敬地听候指示。

“我们复习一下动词形式好了，你一直搞不懂这些。”

AmeKo 太抬举我了，因为我搞不懂的东西，岂止是这些。

Ka－Yo－Bi(火曜日，星期二)和 Mo－Ku－Yo－Bi(木

曜日，星期四），我到现在还会搞混，已经不知道被AmeKo罚写过几遍了。

看了看AmeKo的神情，我知道她也是心不在焉。
原来不管是蔡桑或是ITAKURA桑，今天上课都很混。
“ITAKURA桑，我们干脆别上课了，现在就出去玩？”
“不可以，上完课再说。你今天不乖哦！”
日本人毕竟是日本人，果然很敬业。

在我被过去式、现在式、未来式又搞得头昏脑胀时，9点终于到了。
“Man - Zai! AmeKo, 我们去看烟火吧！”
“Hai! 走吧！”
AmeKo很兴奋地站起身，一副迫不及待的样子。
真是Ba - Ga(笨蛋)，既然那么想去，又何必坚持要上完课？

其实，我并不喜欢人潮汹涌的地方，那让我觉得是在凑热闹。
但是若待在家里，也许我会邀AmeKo一起看电视。
而元宵节时的电视节目，通常是猜灯谜的那种。
我恐怕还得费神去跟她解释何谓“灯谜”，
并为谜底提供一套她可以理解的说辞。
万一碰到我不懂的灯谜时，我这个中文老师的颜面岂不荡然无存？
所以，还是带她去看烟火比较保险。

我载着 AmeKo 沿着滨海公路往土城圣母庙的方向奔去。

滨海公路的两旁并无住家，感觉非常荒凉。

虽说时序算是入了春天，但农历正月的天气仍是寒冷刺骨，尤其是今晚。

当海风从脖子的衣服空隙透进身体时，更是冷得让牙齿直打颤。

路上并没有明显的指标，但只要顺着车潮前进的方向便不会迷路。

而夜空中明亮的烟火，更像北极星般，指引着我们。

一路上，AmeKo 不断地跟我谈笑着。

“你知道吗?理论上中国过年要到正月十五元宵节才算过完。”

“是吗?那么元宵节就是快乐的分水岭了。”

“快乐的分水岭了，你的文法有问题。”

“不，我的意思是如果过年很快乐的话，那么过了元宵节后就不该快乐了。”

“不该快乐?AmeKo，你说话很玄。”

“没什么，随便说说而已。”AmeKo 又微微一笑。

土城圣母庙的广场，早已挤满了人。这时台南市长施治明也刚鞭完春牛。

人潮拥挤的程度，比起欧阳修的北宋时期，一定是有过之而无不及。

幸好看烟火是往上看，而不是往前看，因此倒也没有太多不便。
人潮的嬉闹声夹杂烟火冲天时的爆裂声，到处充满着欢乐嬉闹的气象。
红的、黄的、绿的、蓝的烟火，在黑色的夜空背景下，更显得璀璨。

“你看，好漂亮哦!”
AmeKo的手遥指着天空四下飞散的七彩烟火。
“嗯，的确很漂亮。”
我仰望着天空，在视线回到她被烟火映红的双颊时，也称赞了一句漂亮。
“烟火在天空散开后，好像是在下雨哦!”
“嗯，而且是彩色的雨喔!”
我再度仰起了头，欣赏夜空中的这场烟火雨。
我不禁怀疑，漂亮的是天上的烟火雨，还是站在我身旁的小雨?

我带着她四处走走，告诉她庙里祀奉的各尊神明。
AmeKo在妈祖圣像前，先用力拍手两下，然后闭上眼睛低头祈福。
她祈福的动作是如此虔诚，于是我停下脚步，望着她:
“你祈求什么呢?”
“我希望明年的元宵节，我还能来这里看烟火雨。”
AmeKo睁开眼睛，别过头来，很坚定地告诉我。

走出了庙门，AmeKo 嘴里轻轻哼着歌，我纳闷地问她：

“AmeKo，许愿最好许那种不太可能做得到而你却又很想实现的愿望，这样叫神明帮助才有道理。容易实现的愿望又何必借助神明呢?”

“我许的这个愿望的确很难实现。”

“怎么会呢?我明年一定还会再带你来。所以，根本不用求妈祖娘娘。”

“蔡桑……”AmeKo 停下脚步，沉默了一会。

在我快开口询问前，她接着说：“我下个月就回日本了。”

“砰”的一声巨响，在毫无预警下，又有一团烟火突然往天空炸开。

AmeKo 吓了一跳，下意识地靠近我的怀里并拉住我的衣角。

我顺势地揽住她的腰，轻拍她的肩膀安抚。

其实我也吓了一跳，不过令我震惊的不是突如其来的烟火，而是 AmeKo 刚刚的话语。

烟火只是炸开了黑色的夜幕，但 AmeKo 的话语却炸掉了我所有的喜悦。

我终于知道刚刚 AmeKo 在抄写《生查子》时，为什么会流泪的原因。

“希望妈祖娘娘保佑。”AmeKo 在我怀里抬起头望着我，轻声地说着。

“嗯……我也希望妈祖娘娘能帮助我完成心愿。”

“你祈求的是什么呢?”
“我不能说。因为愿望说出来后就不容易实现了。”
“那你刚刚还问我?”
“我以为你求的是希望日本继续富强什么的呢啊!”
AmeKo 愣了一下，笑着说：“你好狡猾。”
趁着这阵嬉闹，我们技巧性地轻轻挣脱彼此的拥抱，也顺势避开了即将分离的问题。

“我买个灯笼送你吧!”
“我怎好意思让你破费?”
“不简单哦!连‘破费’也会讲了，看来我真是教导有方。”
“呵呵，蔡桑本来就是个好老师呀!”
既然分别在即，我希望送 AmeKo 一样东西，并奢望她在以后的每个元宵节，偶尔会想念起我。

我在庙旁的摊贩那里，买了一个红色的猪型灯笼。
今年是猪年，红色的猪看起来很可爱，虽然大部分的灯笼造型是蜡笔小新。
“蔡桑，谢谢，A－Ri－Ga－Do, thank you。”
“不客气，就当做是我孝敬板仓老师的‘束脩’吧!”
AmeKo 抱着那个红猪灯笼，很高兴地笑着。

“可惜今年不是虎年。”我望着 AmeKo 的虎牙。
“我像老虎吗?”
“你的牙齿像老虎，个性像猪。”

“那你呢?”
“我跟你相反，个性像老虎，牙齿像猪。”
“呵呵……你真会开玩笑。”

晚会的最高潮，大概就是山钛公司所施放的高空烟火。
山钛公司在前两届国际烟火大赛都得冠军，他们的高空烟火特别灿烂漂亮。
同时又有旋转烟火在空中自由流窜，宛如千百条七彩飞蛇凌空乱舞。
在最后一丝光亮被黑暗吞噬时，我看了一下手表:
“AmeKo，该回去了。”
“嗯。今晚过得好快，就像烟一样。漂亮的东西，总是短暂。”
AmeKo 叹了一口气，又接着说:
“Sakura(樱花)也是，只要风一吹，雨一淋，便毫不恋栈地四下落尽。”

离开了喧闹的缤纷的圣母庙，回程的路上，我们同时保持沉默。
天空开始飘些雨丝。很小，像练过轻功的蚊子。
雨丝轻触脸颊，积少成多，聚成雨珠后以泪水速度顺着脸庞滑下。
当第一滴雨水流过嘴角时，我想是该穿上雨衣的时候了。
“AmeKo，我们穿雨衣吧!”
“没关系。这雨很小，淋在脸上很舒服。”AmeKo 笑了笑，不置可否。
我听到她的笑声中夹杂着细微的抖音。

“AmeKo，你会冷吗?”
“嗯。有一点。”
“还是穿雨衣吧!”
AmeKo 并没有回答，我想她大概是怕我又从声音中感觉到她的寒意。
我把车子停在路旁，转过头去跟她说：
“AmeKo，我坚持要穿雨衣。”
“蔡桑，你又说‘坚持’了。”
“是的，我坚持。”

“你难道忘了我跟你说过的那个故事?”
“因我没忘，所以我坚持。”
“你应该已经知道这对我的意义，那你还……”
“是的，我当然知道。雨姬，穿上雨衣吧!”
AmeKo 听到“雨姬”时，愣了一会，然后轻声说：
“我是雨子，不是雨姬。”
“不，你是雨姬。而且我也决定取个日本名字，叫加藤智。”

我穿上了雨衣，掀开背后，示意 AmeKo 钻入。
AmeKo 犹豫了很久，终于钻入我背后，并将双手放入我外套的口袋。
没多久，雨势加大，打在脸上的感觉，已经有点疼痛。

虽然身体冰冷，但我却觉得很温暖。
幸好是沿着海边骑车，不然我得小心不要将摩托车摔落悬崖。

回到市区，我还故意在成大附近绕了三圈，然后再骑到AmeKo家楼下。
“晚安。星期四晚上见。”
“嗯。谢谢你带我去看烟火并送我灯笼。”
“不客气。”我挥了挥手，准备离去。
“蔡桑……”在摩托车的引擎声中，我隐约听到AmeKo的声音。
“你叫我吗?我应该改姓加藤了吧!”我调转车头，又回到她身旁。
AmeKo红着脸笑了一下，拨了拨被雨淋湿的头发：
“你……你等我一下，我也送样东西给你。”
AmeKo很快地跑上楼去，等她下楼时，手里多了一件包装好的东西。
“可以拆开吗?”
AmeKo点点头。我拆开红色的包装纸，发现那是一块手掌大的巧克力。
巧克力的造型像一只小猪，上面还用奶油写上“小雨”两字。
“哇!这只猪做得很可爱喔!”
“呵呵，谢谢。”
“真巧，我送你一只猪，你也送我一只猪。”

“这是我自己做的，你回去尝尝看。”
“你好厉害，竟然会自己做巧克力。”
“这没什么。在日本，女孩子今天做巧克力是很平常的事。”
“为什么?难道日本女孩在元宵节特别无聊吗?”
AmeKo 看了看我，然后笑一笑，好像是我问了一个蠢问题。
既然是蠢问题，最好还是不要知道答案，不然会让我觉得更蠢。

回到住处，耳畔仿佛还残留着刚刚对高空烟火爆炸声的记忆，嗡嗡作响。
看看行事历，明天是 2 月 15 日，星期三。
第一节有“碎形与混沌”课，得早起。
今晚跟 AmeKo 在一起很愉快，我想紧紧抓住这种感觉，
在日记本里留下永久的回忆。

我花了半个小时，终于找到隐藏在一堆旧报纸和杂志中的日记本。
打开日记本，不禁有点惭愧，上次认真写日记已是 1994 年 9 月 10 日的事了。
那是我第一次遇见 AmeKo 的日子。
日记上面写着:

1994 年 9 月 10 日，星期六。天气：下午阴，晚上雨，

雨 衣

早上有风。

今天是信杰生日，下午他打电话来叫我去参加聚会，还叫我带礼物。

该送什么呢?信杰这家伙缺的大概就只有女人吧!哈哈。胡乱在书局挑了本书，连包装纸我也懒得买，所以书就只被一张纸包着，上面还附赠一条橡皮筋。

帮信杰庆生的人，除了陈盈彰、虞姬、我外，
还有陈的台南女友，虞姬的可怜男友，
以及一个我从来没见过的女孩。
她看来很羞涩，总是坐在角落。也不插话，好像只是个旁观者。
我其实很想知道她是谁，但又不好意思直接问她，直到信杰帮我们互相介绍。

不介绍则已，一介绍则吓煞我也。原来她是日本人!
第一次听她说话，就是一口的番文，害我有点发窘。
尤其她总是边说话边鞠躬，好像在拉票的候选人。
我只能怪我生长在礼仪之邦，不得不遵守“来而无往非礼也”的古训。
但是今天鞠了那么多躬，明天起床后会不会腰酸背痛呢?
今天是我认识第一个日本人的日子，志之。

next

我看完了 9 月 10 日的日记，又回忆起第一次遇见 AmeKo 的糗样，忍不住笑了起来。
之后写的东西很杂乱，也很懒，有时一个星期内发生的事只写下：
“嗯……没事发生。即使有，我也不记得。无法让我记得的事，一定不重要。”
我又笑了一会，才准备写下今天的日记。
先将 1995 年换算为平成 7 年，然后在 Date 栏里填上 2 月 14 日。
咦?这日子好熟悉。
这不是……

我终于知道 AmeKo 笑我蠢的原因了。
因为今天不仅是农历正月十五中国元宵节，
也是阳历 2 月 14 西洋情人节。

我在日记本的天气栏里，填上“雨”。
并在日记的开头写道：
“平成 7 年的 2 月 14 日，土城圣母庙的夜空下着满天的烟火雨……”
AmeKo 要回日本的事，很快就被虞姬知道。
“AmeKo 为什么要回日本呢?”虞姬求助似地问我。
“You ask me, I ask who。”
“你说什么?”
“你问我，我问谁?”我双手一摊。
1895 年日本人占据台湾，50 年后，1945 年日本人离开台湾。
又过了 50 年，AmeKo 也要在 1995 年离开台湾。
历史似乎特别偏爱 50 这个数字。

为了给 AmeKo 饯行，信杰和我，还有虞姬，以及和田直美与井上丽奈，一起到东宁路的“好来坞 KTV”。
陈盈彰并没有来，他回台北看他的台北女友。

AmeKo 是个很害羞的女孩，好像觉得麦克风有电，不肯拿着麦克风唱歌。
和田和井上则是活泼得很，又唱又跳又拍手，
旁若无人般，恣意地笑闹着。就像去年耶诞夜的聚会时一样。
后来虞姬也加入了她们的疯狂。
而 AmeKo 总是微笑地看着屏幕，偶尔动动嘴唇。

我很想帮 AmeKo 点一首只有她会唱的歌。
想来想去，我点了江惠的《酒后的心声》。
那是 AmeKo 教我唱《桃太郎》时，我回教她的第一首歌。
“AmeKo，今天你是主角。唱吧！”
我将麦克风递给她，并给了她一个鼓励的笑容。
AmeKo 怯生生地接过麦克风，在信杰和另外三个女孩的讶异眼光中，开始独唱了起来。
AmeKo 的歌声很甜美，有点像是松田圣子，幸好个性不像。

虽然咬字并不十分清楚，但已经可以唬人了。
尤其是唱到那句：
“凝心不怕酒厚,熊熊一嘴饮乎干,尚好醉死麦搁活……”
真是道地啊！我忍不住喝了声采。
AmeKo 果然天资聪颖，学得真快，当然我这个做老师的也功不可没。

不会唱台语歌的虞姬，竟然羞愤地想撞墙。
这也难怪，哪个台湾人能忍受日本人唱自己不会唱的台语歌？
我和信杰象征性地拉了拉她的肩膀，倒不是关心她的生命，只是不希望待会还得赔钱去修理包厢内的墙壁。

AmeKo 唱完后，面对如雷的掌声，腼腆地笑了笑。
之后她再也没有推拖的理由，于是跟着那些女孩们一起合唱着流行歌曲。
但她总是静静地坐着唱，不曾喧闹。
在 KTV 内跟女孩抢麦克风，就像试着夺下疯狗口中的骨头一样，都有生命的危险。
所以我跟信杰无辜地坐着。
但更无辜的，是我们的耳朵。

在我的耳朵快要阵亡之前，我把歌本给了 AmeKo。
“AmeKo，你还没点过歌。你点一首，我帮你插播。”
AmeKo 虽然摇摇手，但我还是摆起老师的架子，命令她点一首。

她翻了翻歌本，然后告诉我一个号码。
没多久，出现了一首叫《恋人 Yo》的日文歌。

在大家的错愕声中，AmeKo 拿起了麦克风。
她仿佛很喜欢这首歌，于是站了起来，专注地看着电视屏幕。
“Ka – Ra – Ba – Ti – Ru, Yu – Gu – Re – Ha……(枯叶飘散的黄昏)”咦?这旋律好熟。这是我买的那盒日文歌录音带里五轮真弓的歌。
有别于唱《酒后的心声》的小心翼翼，AmeKo 用母语唱歌时显得很自然。
而原唱者五轮真弓低沉的女性嗓音，让 AmeKo 清亮的声音来诠释，倒是别有一番风味。

AmeKo 认真地唱着，我几乎忘了她刚开始进入包厢时的羞涩。
而当她唱到“Ko – I – Bi – Do – Yo…Sa – Yo – Na – Ra……”时，她的视线从屏幕慢慢地转移到我的身上。
昏暗的包厢内，AmeKo 的眼神显得特别明亮。
也许是我太敏感吧!我好像看到她的眼睛里泛着泪光。

其实，AmeKo 忘了一件事。
她只知道我是个高明的中文老师，
却忘了我同时也是个聪明的日文学生。
那句话的中文意思，就是：“恋人啊!再见了。”

这天是平成7年2月27日，台南的天空下了整天的雨……

平成7年3月9日，星期四。天气开始回暖。
这是AmeKo在台湾的最后一天。
台南并没有下雨。
即使是多雨的桃园，也依然是晴朗的好天气。

在“好来坞KTV”的原班人马，再度聚集在中正的大厅中。
我和信杰帮AmeKo托运行李，而AmeKo则和其他三个女孩子轻松地谈笑着。
气氛并没有想象中的依依不舍。

托运完AmeKo的行李后，信杰以手势提醒她该准备登机了。
AmeKo轻轻地点点头，背起她的红色背包。
四个女孩子的笑声直到此时才算停止。
在“好来坞KTV”里差点要撞墙的虞姬，也同时流下了眼泪。
AmeKo倒是没哭，她安慰似地拍拍虞姬的肩膀，
然后朝我和信杰的方向走来。

“AmeKo，祝你一路顺风。回日本后记得常跟我联络!”
信杰握着AmeKo的手，跟她告别。

AmeKo 则仍然微笑地点头。
轮到我了，我该说什么呢?
手心已开始冒汗，怎好意思跟她握手?
而我的喉间突然有股苦涩的味道，一句话也挤不出来。

“蔡桑，多谢你专程来送我。A－Ri－Ga－Do。”
AmeKo 突然变得拘谨，而且那个许久未见的 90°鞠躬礼又出现了。
“哪里哪里，这是应该的。”
AmeKo 对其他送行的人总是微笑着，为什么面对我时却这么严肃?
“蔡桑，这半年以来，承蒙你多多照顾。A－Ri－Ga－Do。”
“彼此彼此，你也照顾我很多。”
和第一次见面时一样，我同样都因为受到她的影响，而客气了起来。

“蔡桑，以后请多多加油，早点毕业哦!”
AmeKo 看到我局促不安的模样，忍不住便笑了出来，
并再度露出那两颗可爱的虎牙。
如果没有意外的话，我想这将会是我最后一次看到她的虎牙。
但我也发觉，今天 AmeKo 对别人的微笑，一直没露出虎牙。而她的笑容，仿佛有浮力的作用，让我紧张沉重的心情，顿时轻松不少。

“AmeKo，我坚持我的朋友应该叫我智弘。而亲密的朋友更应该叫我阿智。”

这半年多来，她一直叫我“蔡桑”，就像我始终叫她“AmeKo”一样。

我希望在她临走前，能听到她叫我一声“阿智”。

即使只是“智弘”也行。

“我也坚持我的朋友应该叫我雨子。而亲密的朋友更应该叫我小雨。”

我想，AmeKo终于了解“坚持”的意义了。

“小雨……一路顺风，take care。”

“阿……阿……阿智。”AmeKo红着脸，轻声地叫着。

这让我联想到第一次叫“AmeKo”时，也是阿了半天。

“‘阿’是语首助词，无意义。一般台湾人喜欢用阿什么的来称呼人，跟古代日本人有异曲同工之妙。但你最好别叫信杰为阿信，这样会跟田中裕子主演的《阿信》搞混。”

我真是有病，都什么时候了，还跟AmeKo上起课来。

“呵呵……谢谢老师的教导。”

“小雨，今天是星期四，算是最后一堂课，来个期末考试吧!”

“Hai!没问题。但我也要考你。”

“‘青山不改’的下一句是什么?”

“‘绿水长流’，对吗?蔡老师。”

“很好。小雨，你的中文学分已经正式拿到，恭喜你了。”

“阿智，既然你说恭喜，那我问你‘恭喜’的日文怎么说?”

“O – Me – De – Do – Go – Zai – Mas，对吗?ITAKURA 老师。”

“I – Des – Yo! 阿智，你的日文学分也已经 Pa – Su 了。”

这不应该是送别的气氛。

我突然忆起李白的那首五律《送友人》。

其中有两句：“浮云游子意，落日故人情。”

没想到一千二百多年前李白写的关于送别气氛的诗，

如今读来却依然令人动容。

不过“落日”两字，倒是对小雨的祖国有着小小的不敬。

“那么……阿智，我走了。请多多保重，Sa – Yo – Na – Ra。”

“浮云”毕竟得四处飘零，而“落日”再怎么不舍，也终究有西沉的时候。

“小雨，你也多保重。Sa – Yo – Na – Ra。”

小雨轻轻嗯了一声，转身走向登机门。

她转身的那一瞬间，就像有一道雷电，直接击中我心窝。

雷电不是应该在下雨前出现?为何在小雨即将要离开时，我才感受到呢?

我不想看着她的背影消失在登机门里，所以我也很快地转过身去。

“阿智！……阿智！……Ma－De－Ku－Da－Sai(请等一等)！”

身后突然传来小雨急促的叫喊声，她朝着我跑来。

“小雨，怎么了?忘记带什么东西吗?”

我不解地望着她，并希望她真的忘了带某样东西。

我甚至希望她忘了带的东西，足以让她搭不上这班飞机。

小雨摇摇头，当她接触到我的目光时，却把头低了下去。

然后咬了咬下唇，像是鼓起勇气般地说出：

“阿智，我送你一样东西。”

小雨很快地从她的红色背包里，拿出一件包装好的礼物。

“阿智，请笑纳，Do－Zo。”

我接过了这件礼物，掂了掂重量，大概是衣服之类的东西吧！

“小雨，现在送‘束脩’不会太晚吗?”

我故作轻松地开个玩笑，但小雨并没有回答我。

我发觉她眼角有着若隐若现的泪滴。

在泪滴还来不及滑落至脸颊前，小雨转身迅速地跑进了登机门，然后又回头跟我挥手道别。

“阿智! …Sa – Yo – Na – Ra! ……Sa – Yo – Na – Ra! ……”

“Sa……”Sa 一出口，我发觉我根本无法说出 Yo – Na – Ra。

小雨的“Sa – Yo – Na – Ra!”声音，在空荡荡的中正机场大厅中回响着……

我回到家里，打开这件礼物一看，
才知道是陪伴着小雨成长多年的那件紫红色雨衣。
雨衣的扣子上，别了那个明治神宫的平安符。

□ □ □

平成 7 年 5 月 13 日，母亲节的前一天。
灰暗已久的台南天空，终于下起了雨。
这是 AmeKo 离开台湾后的第一场雨。
大阪现在也在下雨吗?我很想知道。
更想知道她过得好吗?
是否也同样会想起远在台南的我呢?
打起雨伞，走到东宁路的那家丹比喜饼店。
雨下得真大，即使打了伞，左肩仍然被雨湿透。
妈妈喜欢吃芋头，所以我挑个芋头口味的蛋糕。
好久没回家了，正好趁此机会跟家人团聚一下。
提着蛋糕，踩着满地积水，慢慢走回去。

咦?信箱里竟然多出一封被雨水溅湿的信。
我太粗心了，刚刚出门时，怎么没注意到呢?
我从积了一些雨水的信箱里，拿出这封来自大阪的信。
歪歪斜斜的字迹，一看就知道是 AmeKo 寄来的。

雨子写的信，看来一定得淋些雨才会名副其实。

收起了伞，握着 AmeKo 寄来的信，直奔上楼。
却把芋头蛋糕遗忘在楼下。
在震天价响的雨声中，我小心翼翼地拆开了这封信……
蔡桑敬启

今晚大阪下起了雨，下得好像是我们在台南共穿雨衣的那场雨。
是你坚持的那一次。
我不禁又想到了你，O－Gan－Ki－De－Su－Ka? 你好吗?

回到日本，已经快两个月了。
其实早就想写封信给你，尤其是4月初，那时大阪的樱花正落落大方地绽放。
但我总是提不起笔，常常写到一半就无法继续。
大概是少了点气氛吧!
或者应该说是少了点勇气。

直到今晚，大阪的夜空下起了这场我回到日本后的第一场雨。
我突然想到我们第一次见面时的情景。
那时你手忙脚乱的样子，我现在仍然觉得很好笑。
蔡桑，行鞠躬礼时，膝盖是不能弯的。懂吗?我可爱的乖学生。

如果膝盖弯曲，就会像你教我的那句中文成语：“卑躬屈膝”。这句成语用得对吗?我亲爱的好老师。

原来只要是雨，在日本或是在台湾，都会让人的思念更加清晰。
你收到信时，台南的天空会不会也下起雨?
而你，会不会也同样想念起我这个笨日本女孩呢?
如果台南也下雨，那么我送给你的雨衣，你穿上了吗?
还有，你一定要记得把明治神宫的平安符绑在书包上哦!
我好怀念那段在你书桌旁的日子。
那时我既是你的老师，又是你的学生，在角色转换间，想必闹了不少笑话吧!
蔡桑，我们一起上课的那个书桌，现在你做何用途呢?
听谢桑说，你们最近都用它来打麻将，我想说的是：
你有赢钱吗?

我也忘不了在机场分别时的“青山不改，绿水长流”。
当然更忘了不了元宵节那天，你教我的那首词：
“去年元夜时，花市灯如昼，月上柳梢头，人约黄昏后。
今年元夜时，月与灯依旧，不见去年人，泪满春衫袖。”

蔡桑，明年元宵节时，我们还能一起去看满天的烟火雨吗?

你能不能帮我再次去求妈祖娘娘呢?

现在已是春末夏初的5月，樱花也已落尽。
6月底我即将成为东京石原桑的新娘。
我们日本女孩子相信6月新娘是最幸福的，我也不例外。
所以过了6月，我就改名叫石原雨子，而不再是板仓雨子。
但我坚持，你仍然应该叫我小雨。
当然，你也可以叫我雨姬，只要你仍是加藤智的话。
你会来日本为我祝福吗?虽然我很希望你来，但我想那是不可能的。你说是吗?
我很想带你去看看我的家乡，顺便去加藤和雨姬殉情的悬崖。
但我们毕竟只是师生关系，所以即使我们真的到了那个悬崖，我们也没有理由一起跳下去。对吗?
所以你不来也好。

连绵细雨有终时。细雨再怎么连绵，也还是会有停的时候。不是吗?
我好像又回到在阳台上听雨声的那个夜晚。
你听到雨声了吗?

蔡桑，你一定很好奇为什么我会送你那件雨衣，是吧?
其实在2月27日那天，好来坞KTV外的雨势滂沱，那时我就想送你了。可是还是让你冒着大雨跑回家。

你走后，我一个人不禁重复吟唱着《大阪季雨》的最后几句：

“让他在雨中归去，是我的错。雨啊！请把那个人送还给我吧。啊！大阪季雨……”

你还记得我跟你说过的那个在我家乡的浪漫传说吗？

我那时只告诉你，男孩若要向女孩表示爱意时，可以在下雨天里，邀女孩共穿一件雨衣。

但我却一直没有告诉你，当她接受他的爱意或要向他表达爱意时，则会送他一件她穿过的雨衣。

所以，请你务必好好保存这件雨衣。A－Ri－Ga－Do－Go－Zai－Ma－Su。

那么，加藤智，阿智 A－Na－Da, Sa－Yo－Na－Ra 了！

板仓雨子

平成7年5月6日

信纸已被湿透，

是大阪的雨造成的，还是台南的雨？

或是 AmeKo 的泪水呢？

□ □ □

窗外的雨已经转小，

打开窗户，雨滴轻触树叶，仿佛为刚刚粗暴的行为道歉。

而模糊在书桌上的那一滩水，不知何时，
竟已模糊了我的眼睛。

为了让愿望实现，我始终没有告诉 AmeKo，
平成 7 年的元宵夜我在土城圣母庙许的愿望。
其实我跟她一样，对于许愿的技巧，都很笨拙。
我也是祈求妈祖保佑，希望明年元宵节，还能让我和 AmeKo 一起来看烟火雨。
不过我比较贪心，连后年的元宵节，也先预了约。
只可惜平成 8 年的元宵夜，我变成独自逛花市的欧阳修。
后来每年的元宵节，我都会躲在家里看电视猜灯谜。

屈指一算，今年已经是平成 11 年了。
这几年的改变是很大的，信杰毕业后继续念博士班，仍然单身。
陈盈彰当兵时结了婚，新娘是他的台南女友，结婚 6 个月后孩子就出生了。
虞姬的婚期在今年 7 月，如果 6 月的新娘最幸福，那 7 月呢?
虞姬的男友偷偷告诉我，7 月的新郎可能最可怜。
我想也是。
井上在前年回到日本，而和田跟她的香港男友则仍然耗着。
因为她男友的母亲坚决反对儿子跟日本人在一起。

至于我，则开始喜欢雨天。
尤其是那种连绵一两星期的梅雨季节。
我总会将雨声联想到 AmeKo 的歌声。
我特地买了张美空云雀的精选 CD，只为了听《大阪季雨》。
每次听到《大阪季雨》，就会回忆起和 AmeKo 在阳台听雨时的温馨。
偶尔我也会跟着哼：

“Yu－Me－Mo－Nu－Re－Ma－Su, A…Osaka Si－Gu－Re……”
(梦也会淋湿的。啊! 大阪季雨)
收到 AmeKo 那封信后三个月，也是一个像今天这般雷阵雨的夏日午后，
我曾拿出这件紫红色的雨衣准备穿上。
却不小心抖落了一封尚未寄出的信。
信在空中轻轻飞舞着，像被雨打落的樱花瓣。
信尾的日期是平成 7 年 6 月 23 日，那是 AmeKo 结婚的日子。

信的内容我不太记得了，
我甚至忘了我有没有写出“祝你幸福”这类言不由衷却大方得体的话。
我只记得我署名：加藤智。
信写完后，雨也停了。
于是我便没有寄信的理由，或者像 AmeKo 所说的寄信

next

的勇气。
就把信放入雨衣的口袋里。

平成8年的4月底，信杰要到京都大学参加一个学术研讨会，他说他会顺便去大阪找AmeKo。
我把那封未寄出的信封缄，收信人写上：雨姬。
然后拜托他把这封信，带到加藤和雨姬殉情的那个悬崖，抛到悬崖下。
信杰说那时刚好是落樱时节，信件伴随着樱花瓣，无声地飘到悬崖底。
就像他身旁AmeKo的沉默一样。
只不过AmeKo在信抛出后，便转过头去。
信杰并不知道加藤和雨姬的故事，当然更不知道AmeKo家乡的传统。
因为AmeKo只告诉他悬崖下有一对殉情男女的坟墓，还有一间小神社。
不过她并没有带信杰到悬崖下面。
听他说她那时坚持要单独到悬崖下面，过了很久，才又回到悬崖上。
我一直希望这封信能飘落到加藤和雨姬的坟墓前，虽然这机会微乎其微。

不知道为什么，我始终坚持不穿雨衣。
因为我总觉得雨衣一定要跟AmeKo一起穿。
为了这种坚持，我常常是“每当下雨日，便是感冒时”。

既然不穿这件紫红色雨衣，我干脆就把它锁在档案柜里。

按下录音机的 PLAY 键，又响起五轮真弓《恋人 Yo》的旋律……

恋人啊　　再见了
虽然四季转移
那一日的两人　　今宵的流星
全都发光消失了　　像无情的梦

仿佛被歌声催眠般，我掏出钥匙，打开档案柜，又看到了这件紫红色的雨衣。
我轻轻地抚摸着，依稀看到了 AmeKo 微笑时露出的虎牙。
还有她脸上的雨。
也听到了土城圣母庙震耳欲聋的烟火爆裂声。
于是 AmeKo 清亮细嫩的话语，又不断重复地在我耳边响起……

“Hai! Wa－Da－Si－Wa ITAKURA AmeKo Desu, Ha－Zi－Me－Ma－Si－Te, Do－Zo, Yo－Ro－Si－Ku。”

“对不起，我是板仓雨子。初次见面，请多指教。”

“蔡桑，大丈夫比的是志气和心胸，与身高无关哦! 像丰臣秀吉就很矮。”

“Hai! Wa－Da－Si－Wa 小雨 Desu, Ha－Zi－Me－Ma－Si－Te, Do－Zo, Yo－Ro－Si－Ku。”

“Mo－Mo－Ta－Ro 桑，Mo－Mo－Ta－Ro 桑……”

“很有效哦! 等我回国时，我送给你。它一定能保佑你早日顺利毕业。”

“而且我叫雨子呀! 不喜欢雨天的话，岂不有损威名?”

“雨是没有国界的，大阪的雨跟台南的雨同样都令人神清气爽。你觉得呢?”

“Dai－Te－Ku－Da－Sai, A……Osaka Si－Gu－Re(请拥抱我吧。啊! 大阪季雨)”

“大阪很好玩哦! 下次我带你参观丰臣秀吉建的大阪城，再到四天王寺去逛，那是日本最古老的官寺。然后我们还可以去吃全日本最大的章鱼丸子……”

“大阪归期未可知，连绵细雨有终时。何年同此缠绵夜，共话阳台举步迟。”

“我们家乡的男孩子若要向女孩子表达爱意，又不太敢直接表达时，可以选择在一个下雨天，邀女孩共穿一件雨衣。”

“烟火在天空散开后，好像是在下雨哦!”

“我希望明年的元宵节，我还能来这里看烟火雨。”

“这没什么。在日本，女孩子今天做巧克力是很平常的事。”

“Ko－I－Bi－Do－Yo……Sa－Yo－Na－Ra……”
“阿智!……阿智!……Ma－De－Ku－Da－Sai(请等一等)!”

“阿智!……Sa－Yo－Na－Ra!……Sa－Yo－Na－Ra!……”

雨，总是会停的。

推开系馆后门，天色早已暗了。
遍地都是残绿碎红，见证了刚才那一阵骤雨的猛烈。
而雨后的空气总是让人感觉格外清新，就像 AmeKo 给我的感觉一样。
伸出手掌，试着感受雨滴轻触的温柔。
良久良久，手掌依然干燥。

雨，终于还是停了。

但我心里的雨，却始终不曾停歇。

“AmeKo……不……小雨，我们去雨中散步吧!”

我在心里自言自语着，终于穿上了这件雨衣。

jht. 于 1999 年 6 月 20 日

【后记】：后来听说有人在那间小神社里，发现了两封信。

一封是寄给雨姬，另一封则是写给加藤智。

不过这也许是小说家的牵强附会。

或者只是 AmeKo 家乡人的丰富想像力。

end

4:55

enter

4:55

认识辛蒂蕊拉(Cinderella)是在台北火车站。
说得明白点，第一次看见她是在台南站，而认识她则是在台北火车站。
如果看见可以等于认识，那每个人认识的第一个人，就应该是产婆或护士小姐。
所幸不管是台南或台北，都在火车站。

Cinderella?外国人吗?不然怎会有童话故事《仙履奇缘》中灰姑娘的名字?
不，这只是她的英文名字。
她说她本名叫欣蕊，于是取了 Cinderella 这个英文名字。
“真的跟灰姑娘没任何关系?”我有次好奇地问她。
“叫 Clinton 的也不全是美国总统吧!”她总是一贯地随口顶了回来。

记得那个周末，我从台南火车站搭下午 4:55 的莒光号去台北。
在第一月台上等车时，我就已经注意到她了。
其实也不是因为我无聊，而是很难不看她第二眼。
就像在一堆柠檬里出现一颗苹果，那颗苹果总是会特别抢眼。
她穿着深蓝色的紧身牛仔裤，暗红色马靴，纯白的短大衣。

她没上妆，却仍拥有一脸素白。

4:55

微卷的浓黑长发散在12月底的寒风中。
不过由于她的短大衣洁白地可以比美鲜奶，所以她的肤色比较像是豆浆。
本应如此，不然皮肤白皙的东方女人早被排除在黄种人之外了。
她悠闲的样子不像在等车，倒像是在欣赏风景，或者是博物馆里的美术名画。
如果以小说家的角度，她不该属于会在人潮拥挤的火车站内邂逅的那一种人。
她只应该出现在一杯咖啡就要200元的昂贵咖啡馆里。

我不自觉地看了她第三眼，目光相对时，她也不避开，仿佛根本不在乎。
不在乎看人，也不在乎被看。
但就像在动物园里的老虎一样，即使只是慵懒地在午后的阳光下打呵欠，仍有残存的余威让人无法亲近。
火车进站的广播声响起，所有的柠檬一拥而上，苹果却还在原处玩弄暗红马靴。
我被其他的柠檬挤上了车，幸好天气微寒，不然就会闻到一股酸味。
找到了座位，卸下背包。透过车窗，我发现她只是慢慢地踱向车门。

“请让一让。”我终于听到她的声音。像12月的风，都有点冷。我移到走道，看着她坐在窗边，脱掉短大衣，然后挂上。

next

借着眼角余光打量着她，黑色的紧身线衫，衬托出她纤细的腰身。
她拿出 CD 随身听，戴起耳机，调好座椅，闭上眼睛。
火车甚至还未起动。

仿佛受到她的感染，我也试着闭上眼睛，不过却睡不着。
若要数窗外的电线杆，视线得经过她的脸庞，虽然她已经闭上双眼，我仍然却步。
那种感觉就像我在走台北最繁华的忠孝东路时不敢穿拖鞋的道理是一样的。
随手从背包里翻出一本《树上的男爵》，打发时间似地浏览。
说也奇怪，我背包里有好几本漫画书，但我连拿漫画出来看的勇气也没有。
原来我阅读的书籍水准高低会跟身旁女孩的气质好坏成正比。
这有点像在逛书店一样，在诚品时总是用指尖轻柔地翻过每一页；在金石堂时则不在乎是否会把书翻烂。

“台中过了吗?”她突然睁开眼睛，拔下耳机，转头询问正在看书的我。
“这班火车走的是海线，不会经过台中。”
“我知道，”她调回座椅：“所以我问‘过了吗?’而不是问‘到了吗’。”
“没有‘到’台中，又如何‘过’台中?”

4:55

“不要玩文字游戏。我只想知道火车现在的位置。”

“算是过了台中吧！已经快到竹南了。”

“谢了。”她嘴角勉强上扬，算是挤出一个微笑吧！

我再度把主要的视线投到书中，次要的视线仍试着打量着她。

她的右手轻轻揉弄右耳环，耳环上面镶了一个正方体的透明水晶。

在光线的折射下，水晶散发出淡蓝的水样色彩，穿过我的眼镜，有点刺眼。

“你看卡尔维诺?”她的右手离开耳环的瞬间，问了一句。

“随便翻翻而已。你也喜欢?”

“谈不上喜欢，只是不讨厌。我喜欢的是卡布奇诺。”

“卡布奇诺是咖啡吧！?”

“我当然知道卡布奇诺是咖啡，但你不觉得跟卡尔维诺的发音很像?”

“这好像有点……”

“有点太扯是吧！?我的幽默感不是一般人能欣赏的。”

她说完后，戴起耳机，再度闭上眼睛。

等她又睁开眼睛时，台北已经到了。

我下了车，在上楼梯离开月台前，又舍不得似地回头往车厢内眺望。

她仍然坐着，右手逗弄右耳环，我仿佛可以看到水晶耳环刺眼的淡蓝色彩。

我想她可能要坐到这班火车的终点——松山吧！

next

4:55

看了看表，10点10分左右，跟朋友约11点在西门碰头，还有得等。
有烟瘾是很可怜的，何况在公共场所全面禁烟。
只得走到西3门外，吞云吐雾一番。
台北好冷，尤其是飘了小雨的深夜，更是冻到骨子里。

“Shit!”等人已经不爽，点不着火更让人火大。
叼着那根烟，突然很想嚼碎它，然后再……
“锵”的一声，她突然出现在我面前，点了火，凑上来。
“喔?谢谢。”
“不客气。同样有烟瘾，我能体会点不着火的痛苦。”
我点燃了烟，狠狠地吸了一口，希望能为肺部带来一丝温暖。

“等人?”她拉高短大衣的衣领，拨了拨被风吹乱的头发，问了一句。
“是的。”我小心翼翼不让吐出的烟雾，迷蒙了我的视线和她的脸庞。
“我也是。”
她抽了一口烟，白色的Davidoff。
“等女朋友?”
“我不是等女朋友，我朋友是男的。”
“我也不是等女朋友，”她吐了一个小烟圈，“我等的是男朋友。”

4:55

“为什么来台北?”她捻熄了烟蒂，回头问我。

“我住台北，现在台南念书。”我举起左脚，用鞋底也踩熄了烟蒂。

“我跟你相反。”

“你念的是?”

“我今年刚从南部的大学毕业，来台北补托福。”

“喜欢台北吗?”

“很遗憾，我不是蟑螂。”

“啊?”

“你难道不觉得能在这种拥挤城市过活的人，具有蟑螂性格?”

“很奇的比喻。”

“没办法，我真的不喜欢台北。”她摇了摇头，“你呢?”

“我在南部长大，这两年才到台北，还来不及讨厌它。”

“你的感觉太迟钝。我来台北的第三天，就想喊救命了。”

“是吗?幸好我明年又会搬回台南。”

“那么恭喜你了。不过可惜的是，台北将少了一只蟑螂。”

这应该还是她的幽默感吧!我在心里纳闷着。

“他惨了。”在一阵沉默之后，她又开了口。

“啊?为什么?”

4:55

“我最讨厌等人。超过20分钟以上，我会发狂。”
“也许是因为塞车吧!”
“晚上10点会塞车?我倒宁愿相信他出了车祸。”
我有点不可置信地看了看她。她若无其事地耸耸肩，微微一笑：
“你还是无法欣赏我的幽默感。”

“算了，我自己坐计程车吧!”她在看了手表后突然做了决定。
“这样不好吧?你男朋友来了以后找不到你怎么办?”
“他让我等待，我令他焦急。很公平。”
“快11点了，你坐计程车有点危险吧!等我朋友来，我们送你!”
“不用了。两个陌生的男人和一个陌生的计程车司机，哪种比较危险?”
“你说得没错，我和我朋友比较危险。”说完后，我忍不住笑了起来。
“你进步了，终于可以欣赏我的幽默感。”她也笑了笑。

她跨进计程车，关了车门。我向她挥手道别。
她突然摇下了车窗：“喂!接着。”
我伸手接住在黑夜中划过的一道银色弧线光亮，低头看了看，是她的打火机。
“送给你的，bye-bye，卡尔维诺。”
“bye-bye，卡尔维诺。”

坐上我朋友的车，脑海里一直想着这个应该算是陌生的女子。
不知道是否是因为季节的关系，我总觉得她给人的感觉很冷。
这种人应该在夏天认识，才不需要吹冷气。
如果在冬天认识，就应了那句成语，“雪上加霜”。

就在我逐渐淡忘这个女孩时，她却又再度出现。
这次仍然是在火车站，买预售票的窗口前。
“Hi! 又遇见你了。”她从后面轻拍我的肩膀。
“是啊! 真巧。你也是来买火车票吗?”
“到火车站不买票，难道买毛线衣?”
“真是金玉良言，小弟茅塞顿开。”我已经习惯了她的幽默。
“你买哪天的票?”
“明天下午那班 4 点 55 分的莒光号。”
“很好，买两张吧!”

隔天，在月台上，我远远地看到她的微笑。
这次她穿着浅蓝色风衣外套，米白色直挺牛仔裤，和上次一样的暗红色马靴。

在车上，我们继续交谈。我才知道她的名字：欣蕊和 Cinderella。
我们之间，没有曾经共有的经历，也没有同时属于我们的朋友。

因此，我们的交谈，与其说是找话题，不如说是试着满足对彼此的好奇。

“你到美国打算念什么?”

“教育统计。”

“只念硕士，还是要念博士?”

“如果可能，我希望待在国外愈久愈好，最好不用回台湾。”

“你那么讨厌台湾?”

“很多人都讨厌台湾吧!不只是我。何况，国外的天空比较辽阔。”

“我觉得想到国外求学或生活，是自己的事，没必要扯到台湾的环境。”

我深吸了一口气，企图让自己的胆子大一点。

“台湾的环境确实很烂，但也不用说成好像因为台湾太烂，而‘逼’你不得不到国外去求学或生活。”

“每个人当然都有权利追求更好的生活环境或求学机会，”我看了她一眼：“但追求的同时，也该勇于承认自己的欲望，而不必找代罪羔羊。”

“你教训得很好。”她的口气依然冷冰。

“对不起。这是一个想出国却又无法出国的人的酸葡萄心理作祟，你别介意。”

“我是说真的。我一直很想出国，却从不知道为何要出国。”

4:55

她的声音变得柔和：

“而通常用来说服自己的理由，就是‘台湾很烂’，或是‘大家都出去’。”

她用右手摸了摸右耳垂，叹口气说：

“有时想想，去国外镀了一层金，好像也不能改变什么。”

她喃喃说着。

“那你男友怎么办?”

“他?应该快分了吧!”

“啊?为什么?”

“跟他在一起时是年少无知，现在我想离开他了。”

“不会是因为上次在台北火车站的事吧?”

“即使没发生那件事，我跟他仍然是名存实亡。所以，我很庆幸。”

她又用右手再摸了一次右耳垂，仿佛松了一口气地说着。

顺着她的动作，我不禁瞥了一眼她的耳朵，透明水晶的耳环却已经不见。

穿了耳洞的耳垂，似乎透露出一些空虚。

“今天怎么没戴耳环?”

“谁规定穿耳洞就必须戴耳环?”

“嗯……我只是问问，没别的意思。”我有点不好意思。

“我也只是回答，不代表我不高兴。”她淡然地回答。

4:55

交谈似乎结束，只剩下火车的引擎声和后座小孩吵着要吃鱿鱼丝的哭闹声。
这种沉默的气氛，从嘉义持续到新竹。
她左手托着下巴，若有所思地望着窗外，她的视线总是停留在远方。
而这种远方，随着火车的移动而移动。
天空中飘过的云，铁轨旁奔驰的树，农田上矗立的广告标语，都不能干扰她的视线。
“那个水晶耳环是他送给我的情人节礼物。”
在火车快到新竹、列车长用客家话提醒要下车的旅客别忘了随身携带的行李时，她突然开了口。
在我还来不及反应该接什么话时，她又接着说：
“我还为了这副耳环，特地去穿了耳洞。”她又摸了一下右耳垂。
如果我没算错，这是从开始沉默的嘉义算起的第六次同样的动作。
“那时我们南北相隔，想念他时，我总会戴上耳环，抚摸耳环上的水晶。”
第七次了。

“今年毕业，到台北补托福，刚开始时很高兴，因为不用再忍受相思之苦。”
“现在呢?”我终于掌握住空档，插进一句话。
“现在发现，一段不再需要思念的感情根本不叫感情。”
“有点难懂。”

4:55

“思念是用脑子想，相处是用眼睛看。可以思念的感情总是比较美。”
“为什么呢?”
“因为脑子容易美化，眼睛却只能笨拙地反映现实。”
她终于叹了一口气，在第八次之后。
“算了，我已经没有任何理由再去思念他了。”

我不忍心再去计算她抚摸右耳垂的次数，沉默地思考她刚刚所说的话。
一如沉默的她。只是沉默的我正在思考，沉默的她是否正在思念呢?
我想她一定以为拿掉耳环就可以抛弃曾有的感情，断绝所有的思念。
但即使透明水晶的耳环已经不见，她仍会不知不觉地抚摸着她的右耳垂。
她希望给她自己所有不思念他的理由，却还保有思念他的习惯。
有形的耳环易丢，无形的感情不是说抛就能抛的。
因为可以轻易抛弃的，又怎能叫感情?

“终于到台北了。”她穿上外套，微笑地看着我：
“一起去吃点东西吧! 我该请你。”
“Why?”
“唷! 讲英文喔! 难道你忘了我还没给你车票钱吗?”
她突然很灿烂地笑着。我不禁看得呆了……
也许是因为她的笑容很灿烂，也许只因为我没见过她如此轻松而不带低温的笑容。
虽然我知道在南极的冰山上也会看到太阳，但总无法将冰山和太阳联想在一起。

“车票是 571 元，我们去吃顿好一点的吧！”她兴致勃勃地提议。
“你不是要‘请’我？”
“你觉得可能吗？”
“我想一定不可能。”
“知道就好。因为认识我算你倒霉，所以还是把这 571 元用掉比较好。”
“好吧！”

我们在台北火车站附近找了家西餐厅，那是一家服务生微笑得很夸张的店。
通常这种西餐厅的价位会跟服务生的微笑成正比。
我们边吃边聊，她开始诉说她的大学生活，还有她在台北的悲惨岁月。
悲惨是她用的形容词。
对我而言，一客 500 元的牛排才叫悲惨。更惨的是，还得加一成服务费。

“要加一成服务费真的很没道理。”走出餐厅，我有点不情愿地抱怨。
“当然要加呀！不然人家为何要很有礼貌地微笑说着‘欢迎光临’呢？”

4:55

“我倒宁愿服务生骂我：‘干嘛要来?’然后省下这一成服务费。”

“你的幽默感比我还奇怪。”她又灿烂地笑着。

“不敢不敢。在你面前，我的幽默感只是比较具有人性而已。”

“你拐弯抹角地骂我喔!”她用开玩笑似的口吻说着。没想到她也跟一般的女孩子一样，会开这种正常的玩笑。

“还有21元，吃什么呢?”大概是因为天气的缘故，她的语音有点发颤。

“哇!那里有卖红豆饼的，”她指着一个在对街的大妈：“吃红豆饼好吗?”

“Of Course. Why not?”

“你又讲英文了。别忘了，正在补托福的我，可是处于英文程度的最高峰呢!”

“是是是。以后不敢献丑。”

“其实你只是发音不太准，语调不太对而已。我还是听得懂你讲的英文。”

开口说英文，除了发音和语调外，还能剩什么呢?

我们各买了20元的红豆饼，一拿到红豆饼，她就迫不及待地吃了起来。

“你刚刚没吃饱吗?”

“有呀!刚吃得好饱。”

“那你怎么还吃得下?”

“女人如果能够抗拒美食的诱惑，就不会有那么多家的

4:55

瘦身中心了。”
我点点头，算是附和。

“还有一块钱……”她摸了一下右耳垂，低头沉思一会，最后说：
“我干脆给你电话号码好了，你待会打公共电话给我。”
她拿出纸笔，写了8个数字，递给我。
“我怕一块钱不够用。”我笑着将纸条摺进外套的口袋。
“是吗？敢跟我打赌吗？我绝对不会让你投第二块硬币的。”
她又回复冰封状态，原来南极就算会出太阳，也仍然有黑夜。
而我突然发现，她摸耳垂的动作和那只水晶耳环的淡蓝光彩一样，都有点刺眼。

“很晚了，你怎么回去？”
“我在这附近租房子，走就行。”
“需要我送你吗？”
“不需要。我不喜欢让人知道我住的地方。”
“嗯。那么再见了。”
“你还是可以用英文说 bye - bye 的，不要怕被我笑。”
说完后，她又笑了出来，拿出一块钱硬币：“记得打电话给我，路上小心。”

4:55

我回到家，随手把红豆饼搁在餐桌上，拿出口袋中的纸条，再出门打公共电话。
“请问……”
“不用问了，这里只有我。”她很快地打断我的话：“你到家了没?”
“已经回到家了。你呢?”
“废话! 你电话打假的吗?”
我打了一下脑袋，暗骂自己的愚蠢，然后思考着要怎样继续?

“那你干嘛还跑出来打公共电话?”
“不是说好要打公共电话吗?”
“那么你身上也一定只有一个一块钱硬币啰!”
“对啊!”
“真笨! 我们又没打赌。给我你的电话，我 10 分钟后打给你。”
我不加思索地念出电话号码，连该犹豫该怀疑该兴奋或该婉拒的考虑时间也没有。

“嗯。是我。”10 分钟后，她在电话那端的开头就是如此简单。
“你的电话只有你，我的电话可未必只有我喔!”
“我相信你一定会乖乖地待在电话旁等我的，不是吗?”
她的笑声透过话筒，反而有种稚嫩的感觉。

4:55

“你说对了。”被她的笑声感染，我也轻松多了。

不晓得因为电话线可以提高她声音的温度，还是电话中的她原本就不冷，我觉得跟她在电话里聊天是很安全的。
所谓的安全，是我不必担心我脱口而出的任何一句话，会引她射来一枝冷箭。
曾有那么一段时间，我忘了我和她只能算是不熟的朋友，或甚至连朋友也谈不上。
有点像是入了戏的男主角，当他情不自禁地搂住女主角并发誓一生一世爱她时，
却忘了在导演喊 Cut 后，她可能只是别人的黄脸婆，拥有与他无关的喜怒哀乐。
或是急着坐 Taxi 去宾馆和有钱人幽会。
也许她甚至会抱怨刚刚男主角的拥抱太紧。

我只记得她打电话来时，刚过午夜 12 点。
这时的 Cinderella 应该已经换去一身的华服，脱掉那双玻璃鞋。
没有华服和玻璃鞋的伪装，Cinderella 才叫灰姑娘，而不是她自以为的高贵公主。
而当我挂上话筒时，仙女的魔棒失效，我才知道已经发生了什么事。
“早上 10 点整，台北火车站西 3 门口见!”记得她是这么说的。
我却忘了我是如何答应的。

4:55

我甚至忘了我是否答应了。
我只是看看墙上指着 4 点的钟，然后计算着还剩下几个小时的睡眠。

我知道她不喜欢等人，所以我提早到西 3 门等她。
但不喜欢等人的人通常会有个坏习惯，就是会让人等。
就像会嫌饭不好吃的人通常都不会煮饭的道理是一样的。
“嗯，你好。”我打声招呼。
“唷! 这么客气? 好像我们是陌生人一样。”她歪着头微笑着。

“去哪?”我问她。
“你听我的，还是我讲你听?”
“那还不是都一样。”
“当然不一样呀! 一个是请求，一个是命令。”
她煞有其事地说着，好像很认真地在区分两件容易混淆的事。
“不过不管是请求还是命令，只要让我当家就好了。”
她笑得有点狡猾。
“好吧! 当家的，您作主就行。”
所以，我发现了跟她在一起的好处：我永远不必担心要去哪里杀时间的问题。
她总是可以临时想到要去的地方，然后挑选出当时她心里的第一志愿。
俗语说：万事起头难。起了头以后，似乎就不难了。

从那天起，上至看电影、逛街，下至坐那班 4:55 的火车，我们都会在一起。
这样算约会吗?有时我心里会闪过这个问题。
如果从旁人的角度，我们可能像是不做肢体接触的恋人。
除了我们的肢体一直没有交集外，其他情侣们约会时应该会出现的现象我们都有。

惟一缺乏的是，我们从不争吵。
理论上，争吵是不好的。
但矛盾的是，人们的感情通常要累积到一定的程度，才有资格争吵，也才会争吵。
我常怀疑，是否应该说是我们根本吵不起来，而不是没有争吵的机会。
她讲话的语气像冰，脾气也像冰，生气的样子更像冰。
即使我有熊熊的怒火，恐怕也无法使冰块燃烧吧!?

每当早上起床后，深夜睡不着，下午无所事事时，
我总是会很理所当然地想到她，就像口渴时会想拿杯子倒水来喝。
如果爱情的本质像口渴的欲望，
那么她只是我解决欲望的过程，还是我满足欲望的方法?
换言之，她是杯子，还是水?

我也常想起一句话："何自有情因色有，何缘造色为情

生。”
为何你会对她产生感情呢?那是因为她的样子已经深印在你脑海。
为何你的脑海里会有她的样子呢?那是因为你已经对她产生感情。
原来生命的本质是个回圈，连爱情也是。
而当我惊觉时，我已陷入了回圈。
惟一可以拉我跳出这个回圈的，只有她的水晶耳环，或者说是她抚摸耳垂的动作。

但就像流行歌曲里所唱的:
“爱与不爱都需要勇气，于是我们都选择了逃避。”
她逃避心里对他的思念，我则逃避她有男朋友的事实。
如果在周玉蔻面前不能提到黄义交，那么“他”就是我们之间惟一的忌讳。
有一次，她模仿电影《流氓大亨》中钟楚红的对白:
“爱过一次，元气大伤。”
这是她最接近忌讳的一句话。但也只有这么一次。
我忘不了的原因是因为她也忘不了抚摸右耳垂。

“如果，只是‘如果’，你真的喜欢我的话，你会告诉我吗?”
“假设，只是‘假设’，你没有男朋友的话，你会喜欢我吗?”
“‘如果’你喜欢我，‘假设’我又没有男朋友，你会告诉我吗?”

“‘如果’我喜欢你，‘假设’你又没有男朋友，你会喜欢我吗?”
在如果与假设之间，我们同时坚持着嘴巴的最后一道防线。

也许，我和她跟典型的情场男女一样，谁也不愿意先松口。
好像先松口的人会背负先沉沦的耻辱，或是冒着被嘲笑的风险。
就像传说中的鹬跟蚌，互不相让的结果，便是等着渔翁来造成两败俱伤的场面。
可惜情场上永远只有鹬跟蚌，从来就没有渔翁。
所以我和她不仅都不是赢家，连输得一败涂地的权利也没有。

不知道是第几次我们同坐那班 4: 55 的火车，我只记得那天仍是个周末。
那次她的话似乎特别多，多到竟然还泄漏出她的腰围。
在火车快到桃园，我正准备等她头壳坏去也泄漏出胸围时，她突然转移话题问我：
“听过《4: 55》这首歌吗?”
“我没听过。是中文歌吗?”
“是英文老歌，它是《爱你一万年》的西洋原曲。”
“喔。好像有印象了。”
“想听吗?”
“好啊!”

4:55

她拿出 CD 随身听，把耳机的一端放入她右耳，另一端放入我左耳。
“准备好了吗?要注意听喔!”
我点点头。
她用食指贴近嘴唇，比了个“嘘”的手势。
然后按下了 PLAY 键。

Yes I saw you at the station
Long distance smile
You were leaving for the weekend
Catching the 4: 55
With you new……

“好听吗?”听得正入神之际，她拔掉了我的耳机。
“很好听。为什么突然想到这首歌?”
“你很聪明的，自己想想。”
“我只是聪明，而不是通灵。”
她仿佛故意忽视我的抗议，只是淡淡地笑了笑。

后来我才知道，她要表达的是歌词中的第三句和第四句。
因为两天后，她从桃园中正机场离开台湾，到了美国。
那是我最后一次跟她同坐那班 4: 55 的莒光号。
她没有说再见，也没有说 bye - bye。
当然更没像灰姑娘般，留下玻璃鞋。

4:55

虽然这是可以预期的结果，但这种结果发生时，我还是无法接受。
我想莫名其妙的开始势必要伴随着莫名其妙的结束。
甚至当我用“开始”来形容我和她之间，根本就是莫名其妙。
因为我们可能未曾开始。
也许，我跟她不是不能开始，也不是不想开始，而不敢开始。

她在美国的日子，我仍然口渴。
每当用杯子倒水喝时，我都会想：她是杯子，还是水?
曾经认为她只是杯子，于是想换杯子来喝水。
但后来发觉，即使她只是杯子，我还是会固执地当她是水。
因为如果换了杯子，我就不想喝水了。
我想，我将会因为这种变态似地坚持而枯萎很久。

“喂，讶异吗?”一星期后，我却又听到她的声音。
“当然讶异! 你一切好吗?”
“还好，快适应了。”
“你走时怎么没告诉我?”
“告诉你干嘛?你又不会跟我一起出国，那么何必知道。”
“起码我可以去机场送你啊! 搞不好我们可以在机场来个洒泪而别。”

4:55

“少无聊了。快把笔拿出来，我念电话号码给你。”

“May I speak to Cinderella?”这是我第一次打国际电话，我练了好久。

“This is Cinderella speaking…May I have your name, please?”

“You can call me Number one!”

“What do you mean?”

“你可以叫我第一名啦!”

“Shit! 是你怎不早说!”

“你听不出我的声音吗?”

“我的英文那么烂，谁听得出来!”

虽然我们仍能很轻易听到彼此贴心的问候，但我们的距离，已经不仅是空间，还有时间和气候，甚至是心情。

“我们真的离得好远，远到足以让你听不到我的心跳声了。”

“bye - bye，你的晚安我的午安。”

“喂! 你知道吗?其实下雪时没想象中冷呢!”

“偷偷告诉你，这里的台湾同乡会会长好像很喜欢我喔! 你该加油了。”

“我发觉我有梅花性格喔! 梅花是愈冷愈开花，我则是愈冷愈兴奋。”

与电话相比，我比较喜欢收到她的信件。

不管是有贴邮票的信，还是 E - mail。

除了说些生活学业上的琐事外，她最常重复的，就是那班 4: 55 的莒光号火车。
因为她一直很怀念跟我同坐 4: 55 火车的回忆。
她还说她曾在纽约火车站看到一班 4: 55 的火车，不过是在第九月台。
“管它的，我就上了车。反正在美国，到哪里都是陌生。So……Who cares.”
不知道为什么，我总觉得只身在国外念书的女孩子，是不该没有眼泪的。
起码在碰到端午节或中秋节之类的节日，总该象征性地流下几滴眼泪意思一下。
可是不管是在电话或是信件中，我从未听见或看见她示弱。
她总试图去“证明”她快乐且不孤单，并尽可能炫耀异乡新鲜有趣的生活。
即使述说她的车子在雪地里抛锚也是如此。
有一句俗话是这么说的：“帅哥跟美女一样，你愈证明你是，你就愈不是。”
那么，她愈证明她快乐，是否代表她愈不快乐呢?
毕竟真正的帅哥美女，一看便知，不需证明。

“耶诞节有一个月的假期喔! 我回台湾找你。”电话中的她兴奋地说着。
“好啊! 需要我去接机吗?”
“不用了。我到家会 call 你。”
“嗯。”

4:55

“干嘛反应这么平淡?你应该要雀跃万分呀!”
“是是是。我真是高兴到无尽头啊!”
“笨蛋!”

“嗯。是我。”回到台湾的她，声音听起来是如此的近。
“嗯……”我有点激动地说不出话来，毕竟九个多月没见面了。
“明天出来见个面吧!”她没变，邀约总是用惊叹号，而不是用问号。
“When and Where?”
“假装我们要坐那班 4:55 的火车，我们第一月台见!”
“我能认得出你来吗?”
“废话!我穿那身白衣蓝裤红马靴，你该认得吧!”

我很轻易地认出她，即使火车站里仍然挤满了柠檬。但让她像苹果的，不知道是那熟悉而远远的微笑，还是那身装束?
“你好像没变。”
“会吗?你不觉得我变漂亮了?”
“不，应该说变得更漂亮了。”
“你倒是变得会说话了。”

“去哪?”我也是没变，习惯让她当家。
“我特地出来让你看我一下而已，只有 10 分钟。待会我爸妈要帮我洗尘。”

“我已经看到了，那么?”
“那么你就可以瞑目了。”
“你的幽默感还是没变。”
“很好，你仍然可以欣赏我的幽默感。我先走了，晚上再 call 你。”
可能是巧合，她刚转身离开，火车汽笛声也响起。
4: 55 的莒光号，还有她跟我，同时离开台南火车站的第一月台。

“嗯。是我。”开场白没变，但声音哽咽了。
“你怎么了?在哭吗?”
“难道笑会是这种声音吗?”
“为什么哭呢?”
“我看到了一样东西。”
“什么东西?”
“你很聪明的，应该知道。”

这次我突然通了灵，我猜她看到了那副水晶耳环。
“然后呢?”
“我在想我以前为什么那么傻?为什么不让我先认识你?”
“于是?”
“于是我气自己的无能，连忘掉一个人也做不到。”
“因此?”
“因此我更气了，我把它丢到窗外。”
“然而?”

“我发觉我好心疼。”

“结论是?”

“我……我好像根本忘不了他，尤其在知道他也到了美国以后。”

我第一次听见她哭，她的哭声让我联想到杯子破碎的声音。

我想，已经破碎的杯子，再也无法盛水了吧!

耳畔仿佛又响起那班 4: 55 火车离站的汽笛声……

“Cinderella，放那首《4: 55》的歌来听吧!”

“你现在要听?”

“嗯。请把 CD 音量开大声一点，我才听得到。”

“为什么突然想听这首歌?”

我没回答，只是叫她也一起听。

就像我们第一次在火车上共用耳机来听《4: 55》一样。

与其说是她不能挣开那副水晶耳环的枷锁，

倒不如说是我无法忍受水晶耳环的刺眼光彩。

所以，再见了，欣蕊。

不，你说过我仍然可以说英文的。

So bye - bye Cinderella

Everything just has to change……

4:55

你也是很聪明，应该会知道这句《4: 55》歌词的意思。

jht. 于 1999 年 4 月 12 日

end

7-ELEVEN之恋

enter

我知道他其实已经很久了，但开始注意他，却是在一个星期前。
我读夜校，白天当 7－ELEVEN 的早班工读生。
他看起来也是个学生，习惯背个书包，但书包里好像是空的。
他很斯文白净，却有不相称的胡茬，还有那台北旧破烂的野狼摩托车。
他总在 10 点 05 分，进入店里。进店前，他会用右手无名指推一推眼镜。
然后拿一份民生报，以及一瓶蓝色利乐包低脂鲜乳，22 元的那种。

他总会刚好给我 32 元，而且一定是两个拾元硬币、两个伍元硬币与两个壹元硬币。
我习惯性地问他："需要袋子吗?"
他会笑一笑，然后摇摇头。
接着把报纸夹在左腋下，右手以拇指、无名指、小指，拿起鲜奶，以食指和中指夹起一根吸管。
我习惯性地把发票放在他摊开的左手掌上，并感受到他手掌的余温。
他又会笑一笑，然后点点头。

他总会在 7－ELEVEN 门口，看着来往的车辆，然后进入一种沉思的状态。
喝完鲜奶，他会把包装纸盒压平，再放入垃圾桶。
他会把报纸放在座垫，跨上摩托车，屁股坐在报纸上，踩动车子走人。
临走之前，他还会再看我一眼。
当我意识到他的眼神，我不禁腼腆地笑一笑。
昨天早上，他的习惯一如往昔。
我已经打好一张 32 元的发票，在柜台等他。
他竟然递给我一张百元钞票，我愣住了……

我们互望了数秒钟，他才开口问道：
“小姐，不用找钱吗?”
不知怎地，我们同时觉得很好笑，于是笑声充满了整个 7 – ELEVEN。
他又说：“小姐，笑也笑完了，还是得找钱吧! 我午餐就靠它了。”
我不好意思地拿出 68 元给他。他又得理不饶人地问：
“小姐，明天不会又忘了找钱吧! ?”
我笑着回答：“我一定准备好 68 元等你来找。”

其实昨天是我在那家 7 – ELEVEN 的最后一天，因为我找到了更好的伴读工作。
我准备了一张 50 元钞票和 18 元零钱。
我在那张蓝色钞票的孙中山肖像旁，用红笔写下我的姓：张。
那是昨晚电视上的影片给我的灵感。

我拜托新来的小姐，当她看到戴黑框眼镜、穿黑色球鞋、背黑色书包的他时，请她务必找给他这 68 元。

因为这是我和他之间的约定。

我今天发现，让我伴读的那个小男孩，笑容跟他竟会如此相似。
我突然好怀念起那充满了整间7－ELEVEN的笑声。
他知道我姓张吗?我在心里轻轻地问着。

我知道她其实已经很久了，但开始注意她，却是在一个星期前。

我是成大的研究生，她是那家7－ELEVEN的早班员工。
她看起来也是个学生，因为7－ELEVEN制服掩不住那股清纯的学生气息。
她很温柔秀气，有一头长发，还有白净的皮肤。
我10点出门，骑上我的烂野狼摩托车，然后在10点05分，到了那家7－ELEVEN。
进店前，我喜欢用右手无名指推一推眼镜。因为我想看清楚她。

我会拿一份民生报，因为我喜欢看体育新闻。
以及一瓶蓝色利乐包低脂鲜乳，22元的那种。
早餐这样刚好，吃多了中午不饿，吃少了早上会饿。
前阵子不小心打破了个陶瓷扑满，多出一大堆硬币，正好趁此机会消耗它们。
我将两个拾元硬币、两个伍元硬币、与两个壹元硬币拿给她。
因为对硬币要讲究公平才符合公平交易法。

她总会亲切地问我："需要袋子吗?"
我则用笑容回报她的热心，然后摇摇头。因为举手之劳做环保。
我把报纸夹在左臂腋下，右手以拇指、无名指、小指，拿起鲜奶，以食指和中指夹起一根吸管。因为我对我的手指头也讲究公平。

她总会把发票放在我摊开的左手掌上，我感受到她手指轻触的余温。
我满足地笑了一笑，然后点点头，谢谢她的细心。

我会在 7－ELEVEN 门口，看着来往的车辆，然后思考实验的进度。
喝完鲜奶，我会把包装纸盒压平，再放入垃圾桶。我实在很讲环保。
我把报纸放在座垫上，因为没篮子。
跨上摩托车，屁股坐在报纸上，踩动车子走人。
临走之前，我还会再看她一眼。
她仿佛意识到我的眼神，然后她总会腼腆地笑一笑。

昨天早上，我的习惯一如往昔。
但我的硬币已经没了，只好拿张百元钞票。
我在柜台前递给她这张百元钞票时，她竟然愣住了……

我们互望了数秒钟，我才开口问道：
“小姐，不用找钱吗?”
不知怎地，我们同时觉得很好笑，于是笑声充满了整间7－ELEVEN。
我又说：“小姐，笑也笑完了，还是得找钱吧！我午餐就靠它了。”
她不好意思地拿出68元给我。我又得理不饶人地问：
“小姐，明天不会又忘了找钱吧！?”
她笑着回答：“我一定准备好68元等你来找。”

我戴上我的黑框眼镜，穿上黑色球鞋，背上空的黑色书包。
因为我是学生，总得背书包装个样子。书包里只有我实验室的钥匙。
我今天特地又带了一张百元钞票。
我在那张红色钞票的孙中山肖像旁，用蓝笔写下我的姓：
蔡。
那是昨晚电视上的影片给我的灵感。

新来的7－ELEVEN小姐告诉我，昨天是她在那家7－ELEVEN的最后一天。
因为她找到了一个薪水较高的伴读工作。
然后找给我这张50元钞票和18元零钱。
她果然遵守我和她之间的约定。

我拜托新来的小姐，如果可能，请她务必转交这张百元钞票。

我今天发现，那个新来的小姐，笑容跟她竟会如此相似。
我突然好怀念起那充满了整间 7 – ELEVEN 的笑声。
她知道我姓蔡吗?我在心里轻轻地问着。

jht. 于 1997 年 12 月 18 日

end

洛神红茶

enter

洛神红茶

念高三时，爱上了洛神红茶。为什么爱?我却说不上来。
也许只是一种习惯，习惯到根本不能习惯没有洛神红茶的日子。
那其实是一段平淡无味的岁月，日子像条直线，没有高低起伏。
生活中的惟一味道，就是洛神红茶。

我在外面租房子。
四坪左右的房间，书桌左边的窗户外是长荣女中，右边的窗户外也是。
书桌的后面有张单人木板床，其余的空间被教科书和参考书所填满。
偶尔还会有住在家里的同学寄放在我这儿的PLAYBOY。
我生活的空间很简单，于是生活的形式也不得不简单。

衣橱呢?
算了，那东西没必要。反正每天都得穿同样的制服。
聊表安慰的是，制服还分夏冬两季。
所以日子虽然没有起伏之分，却有冷热之别。
正如我的心情般，没有起与伏，只有冷与热。

其实我住的地方，以现在而言，算是违建。因为是顶楼加盖。
人不能做到顶天立地，起码住的地方也该顶天。

顶天的房间，夏天更热，冬天更冷。
古诗有云："春江水暖鸭先知。"而我对气候的反应，可能比鸭子还敏锐。

每天放学后，坐在书桌前，我都会冲杯天仁的洛神红茶包。
它伴我 K 完法拉第定律、亚佛加厥学说和卡氏座标的三维直线方程式。
书愈难念，茶愈喝得凶。
喝到后来，我常忘了是为了念书而喝茶，还是为了喝茶而念书。

房东住我楼下，有一个太太，三个小孩。
该怎么形容我的房东呢?
和蔼?和气?和善?随和?……好像任何跟"和"字有关的形容词都不贴切。
因为我几乎从来都没有看见他笑过，即使只是微笑或浅笑。
但他对我的关心，却远超过我每个月付给他的房租的价值。
我甚至相信，如果我没付他房租，他也依然会如此。
不过虽然我是自然组的学生，但我只在学校做实验，不敢对房东做实验。

房东太太就很好形容了，脸上总是挂着笑容，所以可用跟"和"字有关的形容词。

她是个普通的中年妇女，没有工作，常拿些手工艺回家赚点外快。
三个小孩中，老大是个小我一岁的女孩，念五专二年级。
老二和老幺都还只是国中男生。

说说我跟房东女儿第一次的见面吧!
在8月某个酷热的晚上，我下楼交房租。
“1500?我没零钱找你，明天再拿钱上去找给你?”房东太太应门微笑说道。
“嗯……我可能需要这些零钱吃饭，能不能……”我不好意思地回答。
“呵呵……好吧。我出去买东西找开，你先进来坐一会。”

房东太太请我在客厅坐下，并打开电视机，然后下楼去。
电视机里的女歌星卖弄风骚地扭动臀部唱着歌，
大概是想转移观众对她歌声的注意力。
我有点受不了，只好起身四处看看。
这是一间很典型的30坪公寓，三房两厅一卫，没什么陈设，却有点凌乱而拥挤。
房东太太对我也真是放心，现在屋里没人，难道不怕我偷东西?

“Do…Re…Mi…Do…Re…Mi…”

咦?怎么还有杨林的歌?更夸张的是，还唱得比杨林难听。

顺着歌声，我又来到浴室门口，也听到了夹杂在歌声中的水流声。

“妈!浴巾在哪?”一个女孩突然打开浴室的门，大声喊着。

我吓了一跳。不过不是因为她的歌声或叫声，而是因为她的穿着。

她只穿内衣裤。而内衣者，胸罩也。

在我还来不及判断她的内衣品牌与罩杯大小时，她又尖叫了一声，迅速地关上门。

我有点不知所措，红烫着脸回到客厅的沙发。

电视机里的女歌星刚唱完歌，摆着一副好像刚被雷电劈到的姿势。

时间仿佛静止……浴室的水流声和歌声也静止。

惟一活动的，大概只有电视机的声音和我的心跳。

所以当房东太太开启铁门回来时，我像是只突然被惊吓到的猫般，直立起身子。

“喏……300块找你。别客气，坐着看电视呀!”房东太太依旧微笑着。

“嗯……谢谢。我该上楼念书了。”做了亏心事的人，当然想逃离案发现场。

“别一天到晚念书，再坐一会，我去切点水果。”

她没发觉到我的异样，提着可能是刚刚下楼买的东西，往厨房走去。

厨房里传来用刀子切东西的声音，听起来却让我觉得有点心惊胆战。

“来，这是刚买的西瓜，你吃吃看。”房东太太用牙签串起一片西瓜，递给了我。

“嗯……谢谢。”红色的西瓜，让我联想到我的脸是否也如此鲜红?

“琇蓉…琇蓉…赶快洗完澡出来吃西瓜。”

房东太太即使扯开喉咙喊人，也是微笑着。

“妈!你……你……来一下。”浴室里传出来的声音虽然响亮，却有点迟疑。

房东太太只是把头别过去，提高音量说：“要拿什么呢?直接说啊!”

“你来就是了嘛!”浴室里的声音好像还顿了顿脚。

房东太太走到浴室旁问：“到底要拿什么?”

“……”我听不到浴室里的声音，她会告状吗?

我拿着牙签的手，似乎有点发抖。该马上溜吗?

“浴巾我昨天刚洗，晾在阳台。真是的，拿浴巾有什么不好意思的。”

房东太太一边嘟哝着，一边推开了阳台的门。

“西瓜甜吗?”房东太太又回到客厅的电视机前。

“嗯，很甜。”我心虚地应着。

还好，她不是问她女儿的身材好吗?这让我松了口气。

“课业很重吧?听我先生说你总是念书念到很晚。”

“没办法，已经升上高三，明年就得参加联考了。”

“书要念，身体也要顾好。以后可以常下来看看电视，不要客气。”

“好的。林妈妈，我想我该告辞了。”

“再坐一下嘛!你还没见过琇蓉吧!?待会介绍你们认识。”

我实在没有勇气告诉她，我已经不只见过琇蓉的“面”了。

“琇蓉!……你洗很久了喔!……快出来!妈介绍蔡同学给你认识。”

我是急着想跑上楼，琇蓉大概却是拖着不想走出浴室。经不住房东太太再三催促，浴室的门终于缓缓开启……

“我的大小姐，你澡洗得够久。快来吃西瓜。”

琇蓉低着头，缓缓走到房东太太身旁坐下。

“琇蓉，干嘛低着头?看到帅哥不好意思吗?呵呵……”

房东太太用手肘轻轻推了推她：

“她叫琇蓉。玉字旁，秀气的秀；草字头，容貌的容。”

“嗯……你好。我叫志鸿，志气的志，江边一只鸟的鸿。”

琇蓉勉强挤了一个笑容，然后有意无意地，将视线移到了电视机。

“呵呵呵……”房东太太指着电视上的胡瓜，笑得合不拢嘴。

我和琇蓉却不觉得哪点好笑。

“我该去洗衣服了，你们聊聊。蔡同学，吃完西瓜才可以上楼喔!”

说完后，房东太太就起身往阳台走去。

少了房东太太当润滑剂，我和琇蓉同时把电视机当做视线的避难所。

遥控器、我、琇蓉，刚好构成一个正三角形，而三角形的重心就是那盘西瓜。

该来的总是要来，因为有节目就会有广告。

就像有鲁莽就该有道歉一样。

“嗯……，嗯……刚刚……真对不起。”我终于想通了这层道理，鼓起勇气向琇蓉道歉。

“没关系。你也不是故意的。”

琇蓉的声音出奇的低，很难想象她刚刚在浴室里引吭高歌的雄风。

“你家蛮……嗯……蛮不错的。”随口胡诌了这么一句，打发看广告的时间。

“你就是楼上刚搬来的一中学生?”琇蓉的开场白，比我有意义多了。

“对啊!原先租的地方房租涨了，因为那个房东说他儿子想吃猪肉。”

“想吃猪肉跟房租涨价有什么关系?”

“所以他需要更多的钱帮他儿子买猪肉啊!”
“呵呵呵……”琇蓉突然笑得不可遏止。

尴尬的天敌，果然就是笑声。琇蓉一笑，我僵硬的表情终于得到了松弛。
“你说你叫蔡志……?”
“志鸿。江边的一只笨鸟。”
“呵呵……哪有人说自己笨的。”
“我这是就事论事，不是做人身攻击。”
我也笑了笑，用牙签插起了一片西瓜。
“你觉得我歌唱得怎样?”
“嗯……不错。丹田很好。”
我原本想说：与她的身材相比，她的歌声实在不算什么。
不过我仍然保持只在学校做实验的习惯，不拿自己的生命做实验。
“跟你说喔!下个月我们学校有歌唱比赛，我有报名呢。”
“嗯……那你要多加油，你很有希望。”
“呵呵……谢谢你的鼓励。”
果然是个天真无邪的女孩，听不出来我的意思是：你很有希望看别人得奖。

吃完了最后一片西瓜，我擦擦嘴巴，准备上楼。
“你一定很喜欢吃西瓜，对吧!不然怎么有办法一个人吃下一整盘西瓜。”

“啊?对不起，我不知道你都没吃。”

刚刚太紧张了，急着想完成房东太太交付的任务，不知不觉间，竟吃掉一盘西瓜!

“呵呵……没关系。下次我妈买西瓜时，我再叫你下楼来吃。”

上了楼，脑海里还一直存在着琇蓉突然打开浴室的影像。

于是我闭上眼睛，收敛起心神。不是为了忏悔，而是为了努力地回想。

红潮虽然已从我的脸上退去，却出现在我的考试卷中。

因为隔天的物理考试，我只考 48 分。

原来看到女孩子的胸罩，就是一种“凶兆”。

之后的日子，仍然跟以前一样，只是偶尔会想念琇蓉的笑声。

可能是遗传吧!她的笑声和房东太太一样，都令人感到温暖而舒畅。

如果真的可以用阳光来形容笑容的话，那么琇蓉就像朝阳，而房东太太则是夕阳。

房东虽然像阴天，但仍让人觉得凉爽。

不像我的物理老师一天到晚下雨台风兼打雷。

又拿起一包天仁的洛神红茶包，走出房间冲热开水时，却发现开水没了。

再等等吧!房东每天都会亲自烧开水，然后提上楼来加入热水瓶中。

我还是回到房间，继续演算那道数学题目。
算了三遍，每遍的答案都不一样。大概是茶瘾犯得凶，心浮气躁吧！
头昏脑胀间，听到外头的脚步声……
我兴奋地拿起茶杯，打开房门，却看到琇蓉把热水倒入热水瓶。

“嗨！江边的笨鸟！”琇蓉笑着跟我打招呼。
“咦？怎么是你？房东呢？”
“我爸妈去吃喜酒，我爸交代我今晚要烧开水提上楼给你们喝。”
“嗯……你爸真好。希望你不要向你爸说你想吃猪肉。”
“呵呵……你果然是只笨鸟。”
“你知道吗？你住的房间以前是我在住的！”
“真的吗？难怪我总觉得我的房间有股说不出的气质。”
“呵呵……大笨鸟。”
“那间……”琇蓉指着我隔壁右手边的房间：
“以前是我大弟住的，现在住个二中学生。”
“嗯……那么我左手边的房间自然是你小弟以前住的喽！”
“呵呵……你不笨嘛！现在住的是你学弟，今年升高二。”
“嗯……那我们算是很有缘了。”

“你在泡什么？”

“洛神红茶。要喝吗？”

“好呀！谢谢。我可以参观你的房间吗？”

“当然可以。”我打开房门：“你先去随便坐，我再泡杯洛神红茶给你喝。”

“你不用先收拾一下吗？万一我看到不该看到的东西呢？”

“不用啦！我的房间秉持你遗留下来的优良传统，既单纯又干净。”

“呵呵……你真会说话。”

“你房间东西好少喔！都是书。”

“嗯……没办法，我只是个普通的高中生。”

“你说话怎么都是嗯啊嗯的，真好玩。呵呵……”

“‘嗯’，发语词，无义。就像‘夫’或‘盖’之类的语首助词，都无意义。”

“呵呵……你一定念书念到脑筋有问题。”

“嗯……我脑筋是有问题，不过跟念书无关。”

我把一杯洛神红茶递给她：“喝喝看吧！”

琇蓉象征性地吹开杯口冒出的热气，喝了一口：“哇！好酸！”

“会吗？”我也喝了一口，纳闷地问：“不会啊！哪会？”

“呵呵……看来你不只脑筋有问题，连舌头也有问题。”

“是吗？”我再仔细地喝了一口，除了茶叶特有的涩味外，我实在不知道何谓酸?
“可能是你已经喝习惯了吧!”琇蓉帮我下了结论。

习惯?什么叫习惯?
我每天早上六点半出门，
在校门口那家贵死人的早餐店跟一堆人挤着买馒头和豆浆;
傍晚六点半放学回来，
到长荣女中附近包个便当，顺便看看青春靓丽的高中女生;
晚上十点半下楼去巷口面包店买条刚出炉的鸡蛋吐司，
然后在旧书摊翻翻过期的时报周刊;
半夜十二点在顶楼阳台种满芦荟的花盆旁边，
诅咒物理老师将来的儿子没屁眼，或是他将来根本没儿子。
对我而言，这才叫习惯。
而洛神红茶是我的生活，不是习惯。

因为如果习惯变了，我的生活只会变得不习惯;
但是如果生活变了，我就会变得不习惯生活了。
真要说喝洛神红茶只是习惯，那么习惯一定是种非常可怕的东西，因为习惯不仅可以影响我对生活的忍耐度，
让我失去喜怒哀乐的情绪；习惯也能影响我的味觉。
从那以后，我每次喝洛神红茶时都会顺便想起琇蓉，
并试着体会琇蓉所说的“酸”。
也许是因为琇蓉的笑容太甜美，我根本体会不出洛神红

茶的酸味。
后来我甚至开始不在洛神红茶中加糖。
而琇蓉自然也随着洛神红茶而进入了我的生活。

那年的中秋节，有三天连假，我却没回家。
房东上顶楼阳台浇花时，看到了我。
“你怎么没回家?”
“我想多念点书。”
“那晚上记得下楼来跟我们一起吃饭。”
“嗯……这……”
“就是这样了。”

房东的好意，我不好意思拒绝，但又鼓不起勇气下楼按电铃讨饭吃。
在犹豫间，琇蓉上楼来敲我的门；
“大笨鸟!吃饭罗!”
“嗯……我……嗯……”
“还嗯什么?我们在等你。别不好意思，一起吃饭吧!”
琇蓉半推半拉地带我下楼。
“爸!笨鸟下来了。”
“琇蓉，怎么可以叫人笨鸟?要叫蔡大哥。”
“蔡大哥……”琇蓉刻意拉长了“哥”的尾音，并朝我吐了吐舌头。
“蔡同学，坐下来吃饭吧!千万别客气喔!”房东太太很温柔地说着。
席间的闲话家常，并没有刻意绕着我打转，也许对他们而言，我不像是客人。
中秋节晚上的这种吃饭方式，让我有属于这个家庭中一份子的错觉。

倒是在饭后，房东太太询问着我的家庭背景和求学状况。
偶尔房东会补问一句，而琇蓉总是专注地聆听，并扮演着搅局的角色。
“爸！我们上顶楼去放鞭炮好吗？”琇蓉开口询问房东。
“好吧！不过不要吵到别人。”
“耶！笨鸟，上楼吧！”
在房东刚要纠正琇蓉时，琇蓉拉着我和她的两个弟弟，拿了鞭炮便往楼上跑。

在顶楼放鞭炮是很惬意的，而且冲天炮的目标可以直指月亮。
琇蓉是那种人家吃米粉而她在喊烫的人，喜欢放鞭炮，却又不敢放。
每当拿起香要点燃冲天炮时，她的手便会发抖，使得那支香看起来像钟摆。
“蔡大哥，我们朝她们放冲天炮好吗？”琇蓉的小弟指着一群在长荣女中操场散步的人。
“不行啦！爸说不能吵到人的。”琇蓉的大弟毕竟年纪比较大。
“没关系，我们是放鞭炮‘打’人，不是‘吵’人。”
“呵呵……臭笨鸟，我弟弟会被你带坏。”

琇蓉虽然嘴上这么说，但最后点燃冲天炮引信的人，却是她。

放完了鞭炮，琇蓉的弟弟便下楼去了。
而琇蓉则靠在阳台上的围墙看着月亮，嘴里还哼着歌。
我向她走过去，琇蓉回头说：
“笨鸟，中秋节快乐!”
“嗯……你也中秋节快乐。”
“今晚的月亮美吗?”
“今晚的月亮……嗯……真是圆啊!”
“呵呵……大笨鸟，讲这种无聊话。我要下楼了，晚安。”

连假的第二天，台风直扑台湾西南部，在顶楼的我，有如狂风中的一片落叶。
在风雨声中，突然传来一阵急促的敲门声……
“大笨鸟! 你下楼来避一避好吗?”
“已经很晚了，不方便吧! ?”
“我跟我爸说过了，他说你今晚可以在楼下睡。”
“嗯……可是……可是……”
“快啦! 我们还可以一起玩扑克牌呀!”
琇蓉一直催促着，我只好穿上外套，跟她共撑一把伞下楼。
房东和房东太太都已经睡了，我、琇蓉和她的两个弟弟坐在琇蓉房间的双人床上玩起桥牌。
琇蓉的房间和我的房间差不多大小，而且巧的是，刚好在我房间正下方。

她的房间堆满了杂七杂八的东西，墙壁还漆成粉红色的，贴了几张杨林的海报。

她自豪地说是她自己漆的。

在玩桥牌前，琇蓉偷偷告诉我："待会我们一组，"然后放低音量：

"玩牌时，拉头发代表黑桃，摸眉毛代表梅花，指心脏代表红心。"

"那方块 Diamond 呢?"

"那就指你好了。Diamond 有'呆'的音，反正你叫笨鸟嘛!"

"你跟自己的弟弟打牌也要出老千?"

"当然要啰!事关一只手扒鸡。而且赌场无姊弟，记住了。"

有了这种"默契"，我和琇蓉在玩牌时便占了上风。

琇蓉兴奋之余，又开始唱起："Do…Re…Mi…Do…Re…Mi……"

我再听了一次，果然琇蓉的歌声中，可以被称赞的，只有丹田而已。

咦?我今晚怎么不想来杯洛神红茶呢?

望了望琇蓉，也许不是我不想喝洛神红茶，而是已经喝得过瘾了。

隔天下午上楼，却被眼前的景象吓呆了!

石绵瓦做的屋顶，被强风掀去了一角，雨水顺势入侵，导致我的房间内积了5公分左右的水深。
我拿了张纸，摺了一艘船，让它在我房间航行。
“你看这样像不像《汪洋中的一条船》！”
“臭笨鸟！你还有心情开玩笑？你的书都被淋湿了！”
琇蓉先把我的书搬到高处，然后下楼拿水桶和瓢，一瓢一瓢地把水舀光，
再拿着抹布，弯下身子，跪在地上擦干地板。

“呼……弄好了。记得要拿书去晒喔！”
琇蓉擦了擦汗，松了一口气。
“嗯……谢谢你了。”
“谢什么谢，一场电影就好了。”
“什么电影？”
“还装蒜？当然要请我看一场电影啰！真是的，一点人情世故都不懂。”

当天晚上，琇蓉又来叫我下楼去吃赌桌上的战利品——手扒鸡。琇蓉留了鸡腿给我，看着她弟弟们很想吸住口水的表情，我不禁有些心虚。
然后她跟房东夸大屋顶的损坏程度：
“爸！你要快点叫人来修啦！”
房东很快地修好屋顶，并自动把房租调降100元。
挑了一个比较没有念书压力的星期天，我请琇蓉看场电影。
“我带我同学去，不介意吧？”
“她自己付钱，我就不介意。”

"呵呵……笨鸟你真小气。"

"你喜欢看什么类型的电影?"

"我喜欢周润发，他演的我都看。"

所以，我是跟两个女孩子去看枪战片。

"我同学长得如何?"

"唉……"我叹了一口气，摇了摇头。

"喂!臭笨鸟!你怎么可以这样!"

"她是你同学，是身份问题；她长得如何，却是面子问题。不可混为一谈。"

"呵呵……你又在乱掰了。"

"你也真是!我批评你同学的长相，你还笑得出来?可见你们的友谊有问题。"

"臭笨鸟!你欠骂!"

欠骂的不知道是谁，因为这场电影是一人出钱，三人看戏。

接下来是一段寒冷的日子，此时的洛神红茶不仅仍是生活必需，还可带来暖意。

就像琇蓉隔三差五时地买些热呼呼的红豆饼上楼来找我一样。

"这里真的好冷!"琇蓉总是呵口气在手掌，然后双手摩擦着。

"嗯……习惯了就好。反正是生于忧患，死于安乐。"

"呵呵……笨鸟，千万不要感冒了喔!"

"嗯……不会的。我没时间感冒。"

“别逞强。还有窗户别开那么大，你那么喜欢看长荣女中的学生吗?”
后来，琇蓉干脆把我放在窗户边的望远镜给“借”走。

当天气开始让我脱掉外套时，我才惊觉联考脚步的迅速。
随着联考一天一天地逼近，压力便一磅一磅地往身上加。
念书的时间拉长，而洛神红茶则喝得更凶。
惟一的消遣，大概只有琇蓉上楼来浇花时，跟她聊一聊天。
然后一起喝洛神红茶。
琇蓉虽然不再抱怨洛神红茶的酸，但我隐约可以从她的眉间读到洛神红茶的酸。

联考前一天晚上，我正在收拾准考证和文具时，琇蓉来敲门：
“喂! 大笨鸟，明天考试别紧张喔!”
“嗯…尽力而为了。”我开了房门应道。
“今晚早点睡，明天不要爬不起来。”
“嗯……好的。”
“那我下楼了，记得别紧张喔!”
“等等! 再陪我喝……一杯洛神红茶?”我硬生生地把“最后”两字吞入肚子里。
“呵呵……当然好呀!”
我又将一杯洛神红茶端给琇蓉，然后问道：“你还是觉得洛神红茶是酸的吗?”

琇蓉慢慢地喝了一口:“唉……大笨鸟,你没救了。洛神红茶真的会酸。”

那天晚上,我其实是睡不着的。不是为了考试,而是为了即将随之而来的离别。

脑袋里装满的不是明天考试要用到的公式,而是离别前夕的不舍。

勉强睡了一下,睡梦中竟然出现琇蓉!

她在梦中还跟我说:“当君考完日,是妾断肠时。”

醒来后,我决定把剩下的洛神红茶包泡完。

联考完后,虽然可以挣脱掉束缚我三年的锁链,但我并没有特别兴奋。

因为我同时也失去住在这个顶天房间的理由。

也许,我的生活将失去洛神红茶的味道。

而伴随洛神红茶而进入我生活的琇蓉,是否也会失去?

打包了行李,准备离开洛神红茶。不,我是说离开这个地方。

而所谓的行李也只不过是一堆书而已。

这里的一草一木,从不属于我;

属于我的,只是洛神红茶的味道。但我又带不走。

由于不是很习惯道别的场面,所以我昨晚已跟房东跟房东太太“知会”过了。

幸好琇蓉那时不在,不然我不知道当我说再见时,是否能如此轻易?

可悲的习惯又让我在今天早上六点半出门，但以前离开以后总是可以回来，
傍晚六点半该在哪里包便当?晚上十点半该在哪里买条鸡蛋吐司?
半夜十二点又该在哪里诅咒物理老师呢?
想把这串钥匙放入房东的信箱内，但钥匙就像有千斤重般，让我不能轻易放下。
但我又没有重新拿起这串钥匙的力气，或者该说是勇气。
仿佛对我而言，这串钥匙不只是钥匙，而是我归属这里的理由。

“喂!江边的笨鸟!你要走啦?”琇蓉的声音突然从楼上传来。
“嗯……是啊!你今天没上课?”我仰起头，望着在五楼的她。
“果然是笨鸟，我放暑假了呀!”
“嗯……”
“反正你已考完试，多留几天再走好吗?”
“这样不好意思吧!房东又不会再收我的房租，而且你们也得找新房客。”
“……”琇蓉在五楼沉默着。
我则在一楼沉默。虽然我们互相看着对方，但我没借口上楼，她也没下楼的理由。

这情景，很像我和她第一次见面时，在电视机前的僵持。

“嗯……那么……再见了。”有沉默就得有开口，就像有开始就会有结束一样。
“再什么见，你以后还是可以常来玩呀!”
“嗯……好啊!”
“你的发语词要记得改喔!别老是嗯啊嗯的。”
“你也是一样，在浴室脱衣服前，要先看看有没有浴巾喔!”
“臭笨鸟……臭笨鸟……臭笨鸟……”
琇蓉一直重复着这句话，但声音却愈来愈小。

再见了，洛神红茶。
再见了，琇蓉。

念大学后，慢慢戒掉了喝洛神红茶的习惯。
可能是因为书开始念得少，所以洛神红茶也跟着喝得少。
大三时，有次听到收音机里传来的Do…Re…Mi…Do…Re…Mi……
我突然怀念起洛神红茶的味道，骑摩托车跑遍附近的商店，却不再发现天仁的洛神红茶包。
原来逝去的，不仅是那段“春江水暖我先知”的岁月，还有洛神红茶。

既然洛神红茶已不再是我生活的味道，那么琇蓉也应该离开我的生活了吧!

这期间，认识了不少女孩子，我总是试着把这些女孩子想象成饮料。

大多数女孩对我而言，就像是汽水，既甜又不能解渴。

我贪图的，也许只是汽水所带来的清凉吧!

偶尔也会有女孩像红茶，但加了糖的红茶，也还是太甜。

告别了青涩的洛神红茶，在考上研究生后，我渐渐地喝起苦涩的咖啡。

因为研究生日夜颠倒的生活，常需要靠咖啡来提神。

但我只会为了念书而喝咖啡，从不会为了喝咖啡而念书。

青涩的日子，当然也被苦涩的日子所取代。

但喝咖啡只是习惯，并不是生活。

去年某一个仲夏的夜晚，独自去逛夜市。

经过一个卖香水的摊位，我突然看到了一个熟悉的面孔。

“江边的笨鸟，你也来逛夜市啊!”琇蓉的声音很兴奋。

“你怎么也会在这里?”我的声音虽然也是兴奋，但却带点不解。

“我来卖香水呀!呵呵……真是好久不见了。”

“你也真是的，这么久了都没半点消息。”
“你在念书还是工作?顺不顺利呀?日子过得好不好?”
“你有女朋友了吗?怎么没带女朋友来逛街?”
琇蓉劈哩啪啦地说着，我却只是看着她隆起的肚子，一句话也说不出来。

“我送你一瓶香水。这是有大吉岭茶香的香水喔!”
“以后你就只是大笨鸟而已，不再是‘臭’笨鸟了。”
“这叫 BALGARI POUR HOMME 啦! 意大利名字，你听不懂的。”
琇蓉依旧兴奋，招呼客人之余，还送我一瓶香水。
“嗯……谢谢。”
“嗯啊嗯的，你的发语词还是没变。呵呵……”
“嗯……”

看着她忙碌的样子，我便告诉琇蓉我先去逛逛，待会再回来叙旧。
“你要马上过来喔! 我快收摊了。”琇蓉微笑的声音在身后响起。
不知怎地，我用比平常慢了好几倍的速度在夜市晃了一圈。
每走一步，便更思念洛神红茶的味道。
但就像青涩的日子不可能重来一样，我的舌头也丧失了对洛神红茶味道的记忆。
原来跟我告别的，不仅是青涩的日子和洛神红茶青涩的味道，还有青涩的恋情。

脑海里涌上第一次见面时，我急着想跑上楼，而她却拖着不想走出浴室的往事。
琇蓉那时不得不走出浴室面对我，但我现在却可选择绕路避开她。

绕了路，经过一个凉水摊，竟然看到上面写着：“洛神红茶”。
心头一惊，我忍不住买了一杯洛神红茶。
只喝了一口，眉头便已纠结。
洛神红茶的味道，嗯……？
果然微酸。

jht. 于 1999 年 1 月 9 日

end

绿岛小夜曲

enter

这绿岛像一只船　在月夜里摇啊摇……

今夜的绿岛，“大白沙”的沙滩上，我和大学同学们，诉说着11年前提着行囊相遇在系馆前的往事。
白天浮潜的疲累，加上轻柔海风的吹拂，我不禁躺在满是贝壳沙的沙滩上。
海浪规律地拍打着沙滩，我感觉像是睡在摇篮里。
但月亮始终不肯出来，只有满天的星星。
就像我的身旁一样，只有一堆像星星的朋友，而没有像月亮的你。

“6月20日晚上到台东，21日在绿岛，22日下午回台南。一起去好吗?”
我像是对着父母讨糖吃的小孩般，渴望你的点头。
“我很想陪你去，可是我真的有事。”你的声音有些许遗憾。
“那我不去绿岛了，留在台南陪你。”
“不行啦!你已经答应人了。更何况你们大学同学也很久没聚在一起。”
“我回到台南时，你还会在吗?”我小心翼翼地问着。
“嗯……”你的语气有点保留，好像不置可否。

姑娘呀　你也在我的心海里飘呀飘……

绿岛的海水很蓝，比较起来，垦丁的海水只能算是“青”而已。

海浪真大，即使躺在沙滩上，我也感觉整个人好像随着海浪起伏着。
就像你在我心海里浮沉一样。

认识你快十个月了，如果十个月的时间能诞生一个新生命，那么产生一段感情，也不足为奇吧？
常常问自己：我对你有情吗？如果有，是感情？友情？还是人情？
如果只是人情，为何我脑海里时常会浮现你的微笑和轮廓？
如果只是友情，为何我总在每个深夜里凝视着电话机，期待你的声音？
所以答案很明显，是有感情的存在。
那么，感情的深浅呢？是否已构成爱情的条件？
也许什么都不是，只是一时的新鲜刺激与好奇。
试着回想你的身影，然后量一下脉搏。
擂鼓似的心跳声，却推翻了这种假设。
我好像已经爱上了你。
如此而已。

让我的歌声随那微风　吹开了你的窗帘……

绿岛的海风好强，与之相比，新竹的风只能称得上是“微风”。
如果我在此时唱歌给你听，即使你还在美国，也一定听得到吧！

但你心里的那扇窗，始终是紧闭着。
能打开这扇窗的人，只有在窗内的你，而非徘徊在窗外的我。
其实紧闭着的，除了你心里的窗，还有你的嘴。
因为你一直不肯告诉我，你出国的日期。我只知道应是6月底。
这样也好，对一个死刑犯而言，不知道死期应该是一种慈悲。
我会暂时忘掉即将分别的事实，学着驼鸟埋首沙中。
也许我们很想发展一段坚贞的感情。
坚贞到足以通过两年时间和遥远距离的严峻考验；
但又怕太过坚贞的感情，会在往后分别的七百多个日子里，让我们尝尽思念的痛楚。
所以我们保持一段可让自行车通过的距离。

6月走到一半，太阳变大，白天变长，连日子也过得更快了。
凤凰树愈红，象征着你离开的时间愈近。
在一个下着小雨的夜晚，我情不自禁地紧紧抱着你。
“你别这样，我们明天还是会见面的。”你在我怀里轻声而温柔地说着。
“我不要你走。”我将手臂再箍紧了些。
“我也不想离开你呀……”你的双颊灼热而红晕。

让我的衷情像那流水　不断地向你倾诉……

next

海浪好像有很多话想跟沙滩倾诉，因此不断地摇醒沉睡的沙滩，发出“啪啪”的声响。
就像昨晚刚到台东的我一样，第一件事就是打电话给你。

“台东好玩吗?”你的声音出奇的冷静，不带一丝情感。
“还好。今晚很凉，海风也很舒服。”我纳闷地回答。
“我想告诉你一件很重要的事。”你的声音更冷了。
“说吧!我在听。”我尽量不让加速的心跳，提高我的音量。
“我很想你。我现在才发觉你是我最挂念的人。”你的声音逐渐有了波动。
“傻瓜!我后天下午就回台南了。”我松了一口气，暗骂你真是吓死人不偿命。
“嗯。可是我好希望你现在就在我身旁。”你的声音终于变温柔了。
“我也很想啊!不然我不去绿岛，明天一大早回去陪你?”
“我不想让你为难。”你仿佛叹了一口气。
“哇!没钱了，我再去买张电话卡，待会打给你。”
“不用了。你早点睡，这样才有体力去绿岛玩。”
“没关系，我想再听听你的声音。”
“那你12点半再打来，好吗?”

椰子树的长影　掩不住我的情意……

离开了大白沙，一行人在椰子树上找寻昼伏夜出的“椰子蟹”。
椰子蟹的行为模式跟你好像。因为你总在黑夜翩然，而在白天深沉。
看看手表，12 点 50 分左右，我昨晚再度打电话给你时，也差不多是这时间。

“你怎么现在才打来?”不是你的声音，而是一个哽咽的女孩。
“你是?”我不可能会打错电话，因为你的电话我早已倒背如流。
“姐在整理行李，我帮她接电话。”她的哭声更响了。
“整理行李?她要离开台湾了吗?”突如其来的惊吓，使我的声音颤抖着。
“你赶快过来好吗?我舍不得姐走，姐也舍不得你。”她抽泣地问着。
“我在台东!我马上赶回台南。”我急促地回答。
“来不及了!来不及了……”她重复着这句话，然后放声大哭。
“叫你姐来接电话!”我因为震惊而显得有点愤怒。
“喂……”你的声音出现了，但语气很平淡。
“你为什么不告诉我，你待会就要走了呢?”我强忍着痛苦和愤怒。
“……”你沉默着。

“你搭几点的飞机?”我的语调持续升高。

“……”你仍然沉默着。

“唉……请你告诉我好吗?”我叹了一口气，将声音恢复正常。

“我到机场时 call 你，你不就知道了吗?”你的声音已经带点鼻音。

“你让我到机场去送你好吗?”死刑犯要求饱餐一顿总可以吧!

“我不想流着眼泪跟你道别。”我仿佛听到你的眼泪滴落在话筒的声音。

明媚的月光　更照亮了我的心……

椰子蟹始终找不到，也许是因为今夜的绿岛没有月光照耀的缘故吧!

昨晚挂完电话后，对着微亮的下弦月，发呆一整晚。

现在却连发呆的对象也没有。

今早八点半，从富冈渔港坐船出发前往绿岛。

太平洋的风浪好大，在上层甲板更能感受到波涛汹涌。

一阵巨浪让船只倾斜近 45°时，我的 call 机响起。

你真会挑时间，竟让我在这种叫天天不应、叫地地不灵的海上收到传呼。

下了船，赶紧拨到 call 台。

“您有一通新留言，序号 59。

喂……我现在即将搭飞机前往底特律，你正在船上吧?

祝你绿岛之行愉快。
我们要微笑着说再见，不是吗？期待两年后的重逢。嗯……bye－bye。"
6月21日9点03分……"

眼睛一酸，胸里剧痛，不争气的眼泪，悄悄地滴落在台东往绿岛的船票上。
没想到我们很有默契地同时离开台湾本岛，你搭飞机我坐船。
离开的方式虽然不同，但我明天就回台湾，而你呢？

这绿岛的夜已是这样沉静　姑娘哟　你为什么还是默默无语……

回到旅社，已经是凌晨三点多。
所有的光亮皆已变暗，除了远处巡防军人们偶而出现的手电筒照明。
你应该飞到美国了吧！可是我的call机仍然沉默着。
也许你忘了我教过你在国外打call机的方法；
也许我的call机无法在绿岛收到讯息。

我抱着一丝希望，拨到call台。

"您目前没有新留言，听旧留言请按'2'；回主功能请按'*'字键。"

call 台的女声，依然带着甜甜的微笑。我仿佛被催眠似地按了“2”……

“序号 59。

‘喂……我现在即将搭飞机前往底特律，你正在船上吧?祝你绿岛之行愉快。

我们要微笑着说再见，不是吗?期待两年后的重逢。嗯……bye－bye。’

6 月 21 日 9 点 03 分。您要重听请按‘0’；继续查询请按‘1’……”

我不断重复地按“0”，听着你最后的留言，一遍又一遍。

直到卡式电话机再也无法承受我的思念，讨饶似地显示“0”的余额，然后吐出只剩躯壳而失去灵魂的电话卡。

拿着那张与我同病相怜的电话卡，无意识地往海边慢慢走去。

今夜的绿岛，始终没有月光。

不远的东方海面上，浮出一点微白。

在天亮前，我终于唱完《绿岛小夜曲》的最后一句。

jht. 于 1998 年 6 月 28 日

end

水中的孤坟

enter

Dear 慧姗：

哥又来看你了，你还好吗？

去年来看你时，海水只稍微浸湿你的墓头。
如今海水却几乎要淹没你的墓顶。
泡在海水中的你，想必不好受吧！

如果你还活着，今年已经24岁，
属虎的你，今年是你的本命年。
只可惜，你并没有安太岁的必要了。

卷起裤管……唉！……不卷也罢。
及腰的海水，裤管卷或不卷，同样都会弄湿。
拨开你墓顶上随海水漂来的垃圾，拔除你墓顶上稀疏的几株杂草，再压上几张五颜六色的墓纸，你的坟墓就算清扫完毕。
不然还能如何呢？

一个人，一只鬼，一座没有墓碑的孤坟。
我想起李白《月下独酌》的诗句：“举杯邀明月，对影成三人。”
看似热闹，但终究也只是孤独的一个人而已。
吹来一阵海风。
慧姗，你会冷吗？

next

关于你的事，哥能记得的，已经不多了。
不过哥当然还记得你是多么地依赖我。
因此在你动手术的前几天，哥还特地坐火车到台大医院去陪你。
其实那时哥也还小，第一次坐火车的兴奋到现在还有记忆。
还有就是你出殡那天，妈拿根竹子，敲打你的棺木两下。
因为你让白发人送黑发人，是你的不孝。
妈那凄厉的哭声，你听了后是否也跟哥一样同感不忍？

点燃了两炷香，伴随着两行清泪，
轻轻地滴在你的墓顶上。
我突然想起宋人高菊卿那首名叫《清明》的七律：

南北山头多墓田，清明祭扫各纷然；
纸灰飞作白蝴蝶，泪血染成红杜鹃。
日落狐狸眠冢上，夜归儿女笑灯前；
人生有酒须当醉，一滴何曾到九泉。

连一滴美酒都无法让你品尝，
那么哥滴给你的眼泪，想必你也无法收到吧！？
其实你收不到也好，因为哥情愿你早已投胎转世。
只是你千万要睁大眼睛，要找一个家境好一点的人家，
要生在一个稍微文明一点的地方，
才不至于让你这辈子的悲剧重演。

也许最令哥感到悲哀的，不是悲哀的记忆一直不曾抹去；
而是当我想到你时，竟然已经没有丝毫悲哀的感觉。
没想到逝去的，不只是这 20 年的光阴，
还有曾经痛彻心肺的所有记忆。

哥也该走了，哥还得继续在红尘里打滚。
喜怒哀乐是非对错，哥还有好多的事未曾勘破。
也还有好长的一段路要走。

哥真的走了，明年再来看你。
只是哥不知道，明年你的坟墓，
是否已经完全沉没在海水里。

jht. 于 1998 年 4 月 6 日

【本报讯】嘉义布袋东石沿海的低洼地区，由于地层下陷导致海水入侵，很多墓地已被海水所包围，造成民众在水中扫墓的奇特景观……

end

阿 妹

enter

阿 妹

阿妹也者，not 张惠妹是也。
她只是我的妹妹，从小我便这么叫她，到现在一直改不了口。

她长得瘦瘦黑黑的。
弯弯的眉毛，薄薄的嘴唇，尖尖的下巴，略小却清澈的眼睛。
如果让她挽上发髻，拿把扇子，倒有点像是古装美女身旁的丫环。

她小我两岁，笑起来很天真。换言之，即一副智商不高的样子。
从小我们便形影不离，共骑一辆自行车，共用一张书桌，共睡一张床。
不晓得这样算不算是“百年修得共枕眠”的另一种解读?

我一直觉得她很笨，尤其当我发觉我的智商竟是全校第一的时候。
不过，感情和智商是两回事。
君不见愚蠢迟钝的郭靖和聪明慧黠的黄蓉仍是一对令人称羡的神仙伴侣。
所以，黄蓉哥哥和郭靖妹妹的相处倒是没有隔阂。

我们在海边长大，海边什么最美?大概是夜晚的星空吧!
我和阿妹常爬到屋顶上去看星星和渔船的灯火，并让轻

next

柔的海风吹过耳畔。
过没多久，她便沉沉睡去，然后我总会背着她，慢慢地爬下屋顶。
到了床上，我再轻轻地摇醒她，因为我们还得再聊一聊天，才会甘心睡觉。

阿妹跟我其实一点也不相像，我聪明她笨；我皮肤白她黑；我安静她野。
但我们都是天蝎座，一个善于隐藏住自己的星座。
不过我在阿妹身上并没有发觉这种特质，她比较像是迷糊的射手。
大概是她笨到连隐瞒自己的愚昧也不会吧!

记得我国一时，有次她考完试后跑来问我：
“哥，一只鸡有几只脚?”
“两只脚嘛! 连这也不会?”
“我给它写四只脚了!”
“笨死了! 你什么时候看过一只鸡有四只脚?”
“我怎么知道?我又不喜欢吃鸡腿，所以吃鸡肉时也没有算。”
“那你为什么猜四只脚!”
“我以为跟我们的小白一样!”
把鸡当做狗，难怪我一直怀疑她不是我的亲妹妹。

国中时候的我，成绩一直保持在全校前三名。
每次月考过后，学校总会有很多圆珠笔和铅笔盒等文具送给我当做奖品。
我都会转送给阿妹。
没贴红色“奖”字的文具，她会拿去变卖。
贴着“奖”字的，她则自己用，而且用得心安理得。

国中毕业后，我只身跑到台南考高中，也顺利考上第一志愿。
虽然阿妹不说，但我知道她一直以有我这个很会念书的哥哥为荣。
从此，我一个人远离家乡，过着缴房租的岁月。
也从此，我和阿妹便过着聚少离多的日子。

要升高三的那个暑假，阿妹也该参加高中联考了。
她那种成绩，考高中大概是凶多吉少。
不过我还是希望她至少能混上一所高中来念。
“阿妹，快联考了，漫画少看，多念点书。”
“哥，我不去考联考了。”
“你说什么！国中毕业不参加联考还能干什么？你真是不知长进！”
阿妹被我突如其来的严厉口吻吓到，委屈地哭了起来。

“哭什么！你不念书还能做什么？要去工厂当女工吗？”
“哥……家里没钱，你还得念书，我想我应该要出去工作比较好。”
阿妹抽抽噎噎地说完了这句话，然后用袖子擦拭满脸的泪水。

next

而我则跑进浴室里，继续阿妹未流完的泪水。

阿妹果然到桃园当纺织工厂女工，但晚上仍会去补校上课。
那一年，她还未满 15 岁。
她的生活不再充满偶像歌星的悦耳音乐，而是纺织机器轧轧的刺耳噪音。
从此，我和阿妹不再算是聚少离多，而是一年内难得碰上两次。

高中毕业后，原本希望考上北部的学校，这样我和阿妹的距离便可以缩短。
不过人生不是机率，我还是宿命般地被绑在台南。
而阿妹的宿命则仍然在纺织工厂里。

为了养活自己，也不想让阿妹有加班的理由，我开始打工赚钱。
其实所谓的打工，也不过是一个星期有六天家教，
外加寒暑假帮老师做点实验，或到补习班当老师，或到贸易公司打杂。
曾想过到加油站打工，但怕因为吸入太多油气以致晚景凄凉，而且一小时 70 元的价码太低。虽然这种薪水已比 7－ELEVEN 略高。
也曾想过当兼差牛郎，但身体不够壮；
而不到 KTV 当少爷的原因则是长相不够帅。

所以，我和阿妹都很忙碌。
别人忙着念书把马子搞社团，我和阿妹则忙着赚钱。
我们从不通电话，因为没办法。
至于信件，当我写信给阿妹时，常常是下笔三四字，泪已五六行。
而且我收到她的信时，通常也会使我垂泪到天明。
我只好选择眼不见为净。

大二那年，阿妹因工作疲累而在工厂昏倒，我才发觉她有贫血的毛病。
当然，我是辗转得知的，阿妹绝不会告诉我。
就像我也绝不会告诉她我因忙碌而导致肝功能失调的道理一样。
所以，我们都很希望知道对方的近况，但却又害怕知道。

大三那年，阿妹完成补校的学业，专职做个女工。
那一年，阿爸终于在台北租了间房子，我才有理由“回家”。但我很少到台北，阿妹也是。
惟一的例外，大概只有过年。

不过很可惜，我初二早上就得回台南，而那时阿妹才刚来台北。
临走时，我趁阿妹不注意，偷偷塞了张千元钞票在她的皮包里。
因为阿爸说，阿妹很想要一台随身听。

虽然并不是了不起的数目，但我可能得因此而吃上一星期的方便面。

挤上了火车，仍然为刚刚的举动觉得兴奋。
打开书包，想拿支笔来写点东西，却看到一张字条和一张千元钞票。
“哥，这1000元给你买台随身听。阿妹留。”
握着那张钞票，突然想起了那个古老的故事：
先生卖掉表给妻子买发饰，而妻子却剪去长发换钱来帮先生买表链。
原来因为贫贱而百事哀的，不仅是夫妻，还有我和阿妹。

南下的列车上，为了我和阿妹的这种可悲的默契，
我的眼泪由台北经过桃园新竹苗栗台中彰化嘉义而到台南。
那次的眼泪，流光了我念大学三年来因不如意所累积的存量。

大四那年，我叫阿妹到台北补习考夜二专。
“补习费呢?”阿妹问。
“我想办法。”我说。
阿妹后来还是到台北，但我却没机会替她想办法。
因为她到成衣店当店员。

大学毕业后，我直升上研究所。偷个空，我到台北去找

老爸。
那晚，我一个人看着电视，身后的铁门开启。
“阿爸，你回来了。”我头也不回地应着。
“我不是你阿爸，我是你阿妹。”阿妹的声音在身后响起。
我回过头，惊讶地望着微笑的她。
然后我们同时大笑了起来。

“阿妹，好久不见。”
“哥，下次千万不要再半路认老爸了。”
“嗯。”
“放假吗?不用做实验了?”
“仪器送修，两天后才会好。”
“嗯。”
就像突然在路上遇见许多年未曾谋面的不太熟朋友一样，我和阿妹的对话简洁地近乎应酬。

我打量着阿妹，她的头发变得好长，也涂上口红，穿起了高跟鞋。
眼前的这个有点时髦的女孩，是那个说一只鸡有四只脚的笨蛋吗?
我脑海中关于她的档案，竟然已有好几年未曾更新!
原来老天不仅抢走我们相聚的时间，也剥夺我们本来可以共同成长的机会。
我在台南努力成为一个好学生，她却偷偷地长成一个成熟的女子。

阿 妹

那一年，我 22 岁，阿妹 20 岁，她不再是小孩。

那天深夜，我仍然独自看着电视。
也许是吵醒了阿妹，也许她一直不曾睡着。她揉了揉眼睛走出房间：
“哥，肚子饿吗?我炒饭给你吃?”
“不用了，我待会就睡觉了。”
“没关系，很快的。”

阿妹熟练地炒了盘蛋炒饭，端到我面前。
“哥，趁热吃。吃完早点睡。”说完后，阿妹转身进了房间。我用汤匙吃了一口，突然觉得喉间干涩，怎么也咽不下那口饭。
刚刚忘了告诉阿妹少放点盐，因为我的眼泪已经够咸了。

研究所毕业后，我继续念博士班。
因为我总觉得我该念两人份的书。
而我的学业就如同阿妹的工作一样，都变得更为繁重。
不变的是，我和阿妹依旧南北相隔。

几年前，卫视中文台播放《东京仙履奇缘》(日剧原名《妹啊》)。
当我看到岸谷五朗为了和久井映见的幸福而向唐泽寿明下跪时，虽然我不喜欢这种洒狗血的剧情，却也被骗走了眼泪。

因为换做是我，我相信我也会像岸谷五朗一样的冲动和愚蠢。
那晚，我突然好想念阿妹。
隔天，我跑到台北。

阿妹带着她的男友，请我吃日本料理。
在餐桌上，看着她们之间亲昵的小动作，我心里很不是滋味。
我觉得阿妹好像被抢走了，她最引以为傲的人似乎不再是我。
她的微笑，已经不是我的专利。
于是那家餐馆的生鱼片，吃起来特别不新鲜。

今年到台北参加一个研讨会，到阿妹住处过了一夜。
“哥，你就穿这样去开会?”阿妹端详着有点邋遢的我。
然后阿妹拉着我，到SOGO买了三件衬衫和两条领带。
隔天早上，阿妹帮我打好了领带，在桌上放了早餐，留张字条后才去上班。
“哥，上台时别紧张。晚上等你吃饭。阿妹。”

我可不想再吃不新鲜的生鱼片，所以我告诉阿妹要赶回台南。
“哥，我男友有车，我们送你。”
阿妹说了我“们”，但这个“们”，是他不是我。
在车上，阿妹常常拍着她男友放在排档杆的手，偶尔才转过头来跟我聊天。
我开始埋怨起台北市的交通。

到了承德路，阿妹坚持陪我等车。
“我陪我哥，你在附近绕一绕再来接我。”阿妹对他说。
我终于有了扳回一城的喜悦。
阿妹帮我买了车票，并买个便当还有一罐咖啡。
原来阿妹也知道我喜欢喝咖啡。

还有 20 分钟，车子才会到。我很想跟阿妹聊些什么，却找不到共通的话题。
“哥，我要结婚了。”阿妹反倒先开了口。
“嗯。恭喜你了。”阿妹 27 岁了，是该恭喜。
“我目前正努力存钱，打算和他在台北买栋公寓。”
“还是住台北?”
“嗯。我习惯台北了。”
也许就像我已经习惯台南的感觉，阿妹也终于习惯台北。
而我们也将更习惯南北相隔。

上统联客运前，我问她：
“阿妹，一只鸡有几只脚?”
“呵呵……当然是四只呀!”
我仿佛又看到当初那个瘦瘦黑黑的笨蛋小女孩。
很好，虽然阿妹即将结婚，未来也会儿女成群。

但她仍然是我的阿妹。

“祝你幸福”的声音，淹没在车子起动的声音中。

jht. 于 1998 年 10 月 21 日
【谨以此文，在阿妹结婚前夕，纪念我的阿妹。】

end

围 巾

enter

围 巾

今年耶诞，薇要远嫁香港。
为了参加薇的婚礼，我翻箱倒柜寻找那件去年当伴娘时所穿着的礼服。
在衣厨上面的角落，我突然看到了一个红漆大盒。
已经有五年了吧! 我从未开启它。
如今，按捺不住心中的激动，我终于打开这个木盒。
首先映入眼帘的，就是一条围巾。

这是一条米黄色的围巾，比一般的围巾要长一些。
那是我十年前一针一线为你所织的，共花了我两个月之久。
原本是想送给你当做耶诞礼物。
如今，它依然安静地躺在这尘封已久的盒子里。
伴随它的，除了你曾写给我的信件，还有我们青涩年少的所有回忆。

13 年前的 1984 年，你、我、薇和小郭四人。
同时由偏远的滨海小镇，到台南求学。
你和小郭在一中，我念家齐，薇念南女。
虽然我们四个是同班同学，但我和你并没有因此而熟悉。
我只知道，你和小郭是班上最优秀的学生，小郭还是全校的模范生。
而你，总是显得鬼精灵，甚至带点邪气。

高二时，在一次回家的途中，我和你在公共汽车上巧遇。

那一年，是1985年，哈雷彗星造访地球的前一年。

你拿着一中游园会的邀请卡，坐在我的旁边，我很讶异。

在这之前，我们从未有过如此接近的距离。

两个小时的车程，你开始诉说你高中生活的点滴。

我发觉你很健谈有趣，而我也不自觉地被你的笑声所吸引。

以往我总是归心似箭，如今，我却埋怨家住得不够远。

下了车，我们约好明天要坐的班次，我便开始期待明天的到来。

也许，如果不是因为薇要考试，不能陪我回去；

也许，如果不是因为你手上刚好有张园游会的邀请卡，

那么，即使我们巧遇，我们也无法坐在一起。

在那年的耶诞时期，你寄了张卡片给我。

我仿佛还记得收到那张卡片时的兴奋。

连续好几天，我总在半夜里跑到阳台上窃喜。

那时，世界上并没有一种叫做BBS的东西。

虽然你知道我住哪，但你并不敢来找我。

虽然我也知道你的电话，但我并不敢打电话给你。

因为在那还没有解严的时代，我并没有像陈文茜的勇气。

于是，我们只有靠书信联系。

你很聪明，我收到你的第一封信时，你只在信尾写：
“8：30，一中校门口等你。”
距离一中的园游会，只剩下一天，我根本没有向你说“不”的机会。
事实上，我也不愿意说“不”。
因为，我实在很想再看到你。

那天夜里，我失眠了。
躺在床上翻来覆去，只希望太阳赶紧升起。
对着镜子，我练习着几种表情。
我该微笑？浅笑？抿嘴笑？还是呵呵笑？
我不知道该用何种笑容去面对在校门口等待的你，我既紧张又在意。

一中有两个校区，你在胜利路等我，而我却在四维街找你。
原以为世界末日已提早降临，但到了九点半，我却看见你气喘吁吁地跑来。
你知道吗？当我看到你迎面跑来时，
我很想学琼瑶的电影里，男女主角在沙滩上飞奔相拥的样子。
可是我没有使用训练好的表情，我只是觉得耳根发烫。

你带着我到处参观，我也看到了小郭，他在你隔壁班。
我们三人聊了一会，我开始感受到你们之间的差异。
小郭总是那么地正直有礼，充满着模范生的气息。

跟他相比，你显得活泼而有朝气、大方而不逾矩。
由于我是金庸迷，我直觉地把小郭想像成郭靖，你则被我想像成杨过。
而我，究竟是像黄蓉?还是像小龙女?

该走了，我想坐公车，你却说要用自行车载我回去。
你知道吗?那是我第一次让男孩子载我。
不过，我并不紧张，因为你总是那么的有趣。
坐在你身后，我突然想到，为什么我总是无法拒绝你?
也许我不是不懂拒绝，而是我根本不想拒绝你。
看你卖力踩着，我下定决心，以后早餐少吃一个蛋饼，宵夜少吃一片吐司。
我不希望你自行车的后轮，因我而没气。

往后的日子里，你偶尔会写信给我，我也一定会回信给你。
那时候，杨峻荣有一首叫做《情书团》的歌，
歌是这么唱着：“每当我凝望着空白的信纸，总是不知如何告诉你……”
可是我拿起信纸时，总是停不下笔。
我有好多好多的事想告诉你，我的欢笑与忧虑，我的喜悦与悲戚，我只想告诉你。
于是查看信箱成为我每天放学回家后所做的第一件事。
而当我握着你的信时，总让我有种满足与幸福的感觉。
虽然那时我并不了解幸福的意义。

围巾

升上高三后，联考的压力，使我们无法喘息。
生活中的惟一喜悦，就是看到你的字迹。
在 1986 的耶诞节前夕，出门为你挑张卡片时，被反锁在房门外。
我好着急，直觉想到能帮我的人，不是锁匠，竟然是你。
我鼓起生平最大勇气，拨了第一通电话给男孩子。
你还记得吗?当你听到我的声音时，你是多么的讶异。
你放下话筒，就立刻赶来我住宿的地方。
用了一张电话卡，就解决了难题。
你也看到了本姑娘的房间，这个第一次，又给了你。

于是你偶尔会来找我，但你从不上楼，一次也没有。
我们就在楼下，谈天说地。
我很喜欢听你说话，而且，我们好像总有说不完的话题。
你说话的样子，有一股迷人的魅力，而你的眼神，总是带点邪气。
我总是不自觉的凝望着你。
而当你终于停住嘴巴，也看着我时，好奇怪，我竟然会感到窒息。

在联考前夕，你家发生了变故，从此，你的眉间便涌上了很多忧郁。
你找我的次数变少了，信也只剩短短几句。
虽然你的笑容依旧，但我却再也找不到那个带点邪气的你。

在 20 岁不到的年纪，说喜欢是件很奢侈的事，说爱更是一种浪费。

我只知道，我常常想起你，也常常担心你，但只能躲在被窝里偷偷哭泣。

每当拿起你曾写给我的信，以前让我觉得有趣的内容，如今却让我泪如泉涌。

原来，为你掉眼泪，竟是如此容易。

终于发榜了，我理所当然地落榜。

小郭上中原电机，而你则考上成大水利。

我一直觉得你应该可以考得更好，不禁为你惋惜。

但我却暗自庆幸你仍留在台南。

我妈希望我早点出去赚钱，可是我好想念大学。

经过一番争执，她勉强让我留在台南一年，但不给我补习费。

我白天在双橡园西餐厅当服务生，晚上则继续念书。

虽然我们依旧共同拥有台南的星空，但却不再碰面，因为我们都搬家了。

多少个夜晚，当我打开书本，我承受不住那股思念你的情绪。

于是泪水便成为我的书签。

一直到那晚，你和你室友，到双橡园来用餐，我终于又看到了你。

你是国立大学的学生，而我只是西餐厅的女服务生，际遇已经有了差异。
不过，当我递菜单给你时，我又看到你的笑容。
那一瞬间，我忘却了所有的不如意。
甚至有点庆幸因为落榜，才能在此与你重聚。

你和你室友打赌，可以在三句话内钓到我。
当然那时你室友并不知道我们的关系。
你问我："小姐，可以认识你吗?"我说可以。
然后你问我："几点下班?"我说九点。
最后你说："九点餐厅门口见。"我说没问题。
我到现在还记得你室友吃惊的表情，从此他便把你当天神般地崇拜。
而我，在接下来的时间里，魂不守舍，紧张兮兮。
客人点牛排，我记成猪排；要红茶，我却给咖啡。
因为，我只希望下班的时刻快点到来。

九点到了，换回便服，梳了梳头发，看看镜中的自己。
我突然发现，我头发变长了，已不再像是清汤挂面。
而略施脂粉的脸庞，也仿佛提醒我，我已不再是学生。
我该以现在的样子与你相遇吗?
你会嫌弃我吗?你会轻视我吗?
面对镜子，我开始犹豫。
最后，我还是鼓起勇气勉强地走出去。
迎接我的，竟然是你那带点邪气的笑容。
我终于了解，我所有的担心都是多余。

围　巾

我一直记得那晚，你陪我在双橡园门口待了半个小时，然后在满天星斗下，送我回去。
台南那晚有星星吗?我不知道。
但我却从你的眼睛里，看到了两颗最明亮的星星。
台南的冬天在 1987 年似乎来得特别早，才 10 月份，天气竟有一些凉意。
你习惯性缩一缩脖子，并将手插入口袋里。
我发觉到，你的衣衫真的很单薄。
你是个怪人，衣服不喜欢穿多，即使再冷的天气也是如此。
就在那晚，我决定为你织条围巾。

我知道你最喜欢蓝色，但蓝色会使得忧郁的你显得更忧郁。
因此在挑毛线时，我选了这种米黄色。
这是我最喜欢的颜色，围在你脖子上，一定很好看。
从此，下班后，念不下书时，我便靠织围巾来排解对你的思念愁绪。
我总在深夜里，一针一线地编织。
伴随我的，只有收音机传来的西洋老式情歌旋律。
我织了两个多月，希望能赶在耶诞节前送给你。
当我想到，你也许可以因此而不再受冻时，我心里就觉得平安欢喜。

冬至到了，在我住的地方附近，我们一起吃红豆汤圆。
吃完汤圆后，我们的虚岁就满 20。

next

围巾

20 岁的年纪，大概可以谈谈喜欢，说说爱了。
在陪我回去的路上，你又缩了缩脖子，我突然很不忍心。
我叫你在楼下等我，然后飞奔上楼。
拿起还剩下一点点就可完工的这条围巾，又冲下楼去。
我将它围在你脖子上，一圈又一圈。
我发现，这个围巾真的太长了。
没想到我对你的思念有这么长，于是不知不觉地，把围巾织长了。
我只告诉你，这是为我最在乎的人所织的。
虽然我并没有告诉你，谁是我最在乎的人，
但聪明的你，如果连这点都不能体会，那我就用这条围巾勒死你。

我尽量装作若无其事，但我的眼神已经出卖了我。
你似乎也感受到我的心意，于是轻轻搂住我。
在这之前，你从未碰过我。
像是触电吧！电流从我的眼睛，传到你的眼睛，然后到你的手，接着到我的腰，最后蔓延到我全身。
于是你又轻轻地吻了我。
在这寒冷的耶诞前夕，空气仿佛也已冻结。
惟一带来温暖的，只有你的嘴唇、你的胸膛，还有你的呼吸。

回到房间，脸上的灼热还未褪去。
我抚摸着这条围巾，因为它上面还残存着你的余温。

next

围　巾

我决定今晚不能想你，一定要熬夜把它织完。
因为我不希望你再多忍受一天的寒冷。
但这并不容易，因为我的双手因为兴奋和激动而颤抖不已。
收拾一下心情，我打起精神，撑着眼皮，
在半梦半醒之间，我终于织完了这条围巾。
我在围巾的角落，用蓝色的毛线，绣上你英文名字的缩写 j－h－t。

在我因疲累而沉睡时，小郭的来访吵醒了我。
我很意外，因为自从联考过后，我就没见过他了。
说说小郭吧！其实小郭跟我在一起的时间，远多过你。
他总会定期地找我或者写信，和他的为人一样，都是那么的一丝不苟。
最重要的是，他对于我的一切，总是那么的关心与在意。
我虽然不聪明，但绝不是笨蛋，女孩子天生的敏锐直觉告诉我，小郭非常喜欢我。
跟小郭在一起，会有一种很放心的感觉。
他总是那么地彬彬有礼，对我的照顾与关怀，更是无微不至。
而你，凡事总是不在意，让人无法捉摸，根本猜测不到你的心意。
他不会惹我生气，也不会让我担心，更不会令我哭泣。
而你却常常左右着我的情绪。
还记得我老爱把他比成郭靖，把你比成杨过的比喻吗？

next

尽管大家都会选择当黄蓉，但我却只想当你的小龙女。

小郭特地从中坜跑到台南来送我耶诞礼物，我好感激。
记得当初他要北上念书前，一直重复地告诉我，要我好好照顾自己。
他说他会一直把我放在心底。
他能说出这些话，想必也鼓起了非常大的勇气。
小郭到了中原大学后，仍然常用信件和电话与我联系。
只可惜，我的心被你完全占据，再也没有丝毫余地。

平安夜里，正是西餐厅最忙碌的时候，我忙到10点多，才回到家。
虽然我已经很累，但当我看到这条米黄色围巾。
抚摸着点缀在角落里蓝色毛线织成的j-h-t，我心里就有股暖意。
希望你今晚别出门，因为天气实在很冷，明天一大早，我要亲手送给你。
门铃突然在此时响起，薇带着小郭和你，来找我相聚。
这是我第二次同时面对小郭和你，小郭还是以前的小郭。
而你，却没有让我更熟悉。
当我接触到你的目光，想起前天晚上的初吻，我总无法正视你。
小郭发现了这条围巾，他以为这是我回送给他的耶诞礼物。
他高兴地说，他明天要去爬玉山，没想到我会买条围巾送他御寒。
我不知所措地愣在当地。
而你竟然跟他说，玉山很冷，戴这条围巾才不会着凉。
那一瞬间，我才明白你和小郭之间的深厚友谊。
原来你似乎早就明白小郭对我的心意，于是时常刻意地与我保持距离。
那一年的平安夜，气温出奇的低。
让我感觉寒冷的，不是天气，而是狠心的你。

我后来常想，如果小郭不是那么地喜欢我，你是否愿意跟我在一起?
狠心的你，无知的你，即使小郭是多么完美，我还是只喜欢带点邪气的你。
为什么你只顾着别人，却从不考虑自己?
为什么你总喜欢将自己封闭，不让我关心你?
为什么你始终不了解我对你的心意?
为什么你要将我像货品般让来让去?
为什么我可以很了解小郭，却根本一点也不懂你?

1988 年刚刚来临，小郭寄了个包裹给我，里面就是这条围巾。
小郭果然也不是笨蛋，看到那处蓝色的 j－h－t，
他就明白那不是我因他而买，而是我为你而织的围巾。
他在信中说你其实是个很善良的人，喜欢为人设想，但却常常饱受误解。
他并说你的日子过得很苦，所以要我以后多关心你。

原来，不会误解你而又关心你的人，除了我以外，还有小郭。

春天过了，然后夏天来了，我却再也没有见过你。
你回避，我赌气，就这么僵到又一次的联考前夕。
如果这次再考不上，我就得到台北去工作了。
发榜的结果，比去年更差强人意。
去年还有个同名同姓的在榜上，今年连个同名同姓的也没有。
罢了，我该告别台南这个城市。
收拾好行李，在秋天刚来临时，搭上北上的火车，
离开伴我四年青春成长的地方。
月台上只有薇，没有你。
汽笛响起的那一瞬间，我的泪水便像洪水般，轻易地溃了堤。

台北对我而言，不仅陌生，而且拥挤。
我在一家贸易公司工作，小郭这时离我最近，常常来找我。
但我和他都很有默契地不提起你。
薇也常打电话来，所以我的日子过得并不怎么孤寂。
这期间，也常有男孩子主动对我表示好感。
太帅的，我觉得有点脂粉气；太酷的，我觉得肚子里没有东西；太老实的，我却觉得没有情趣。
为什么我如此挑剔？因为我总不自觉地拿他们与你相比。

不管他们是如何地优秀，如何地有魅力，
但他们没有一个人的笑容，能像你一样，紧紧地牵动着我的灵魂。
他们也没有一个人的眼神，能像你一样，轻易地加速着我的心跳。
事实上，我相信没有一个人能像你。
即使像你，也不是你。
我固执的程度，连我自己都感到惊奇。

虽然我们分隔两地，但我的心，却仍系着你。
薇曾告诉我，你四处兼家教，寒暑假也去打工。
辛勤忙碌的你，是否一切都如意?
你的眼神，是否仍有邪气?
每当台北下起雨，我就会担心在台南的你。
因为固执的你，坚持不穿雨衣。
于是雨水虽然打在窗外，却落在我心底。
然后总是模糊在我的眼里。
而当寒流袭来时，我总会拿起这条围巾。
我多么希望你能围着它，而为你带来一丝暖意。
抚摸这条米黄色围巾，我的泪水便不知不觉地滴在围巾上面的蓝色 j－h－t。

我在台北过了 1988 年和 1989 年的耶诞节，两个没有你的耶诞节。
然后因为薇的介绍，又回到了台南。
旧地重游，我早已不胜唏嘘。

我在一家电脑公司上班，这时你刚升上大四吧!
薇告诉我，你好像已经有女朋友。
但我并不相信，因为你根本不爱自己，又怎会有能力去爱别人?

无论如何，再度与你共同拥有台南的星空，仍然是我最快乐的事。
你知道吗?距离上次的见面，已快三年了。
时间过得好快，不是吗?
自从与你分别后，我就没有剪短过头发，因此我的头发变得好长。
我也摘下了眼镜，换上隐形眼镜。
因为你曾说过，不应该让两片玻璃，遮住我的眼睛。
如果现在与你相遇，你认得出我吗?
也许你已无法从外表上认出我。
但如果你凝视我的眼睛，倾听我的心跳，
我想你一定能够很快地认出我来。

下了班，走出公司大门。
已到了1990年底，街上又充满了圣诞的气息。
在毫无心理准备的情形下，我竟然在对街上，看到了等待着我的你。
马路上车子很多，你左顾右盼地慢慢走过来，我紧紧地注视着你。
我怕一不留意，你又要在我的生命中逝去。
马路上的车子啊!可否请你们暂时停驶?

让令我魂萦梦系的你，赶快来到我的面前。
虽然我和你只隔着一条马路，你跨过这条马路，可能仅需要十几秒钟。
但这一刻，却让我等了三年。

你静静地看着我，然后说我头发变长了。
废话，白痴也看得出来。
你又说我没戴眼镜，变成熟了。
这句还是废话，比白痴还笨的白痴也知道。
你再问我最近日子过得好吗?
你好可恶，为什么当我再次落榜时，你不问我日子过得好吗?
为什么当我在举目无亲的台北辛劳工作时，你不问我日子过得好吗?
你可知道，如果现在不是在马路边，
那么你胸前的衣服，将会被我的泪水弄湿。

为什么我们之间要赌那么多的气?
为什么我们得刻意保持那么遥远的距离?
以至于我们的日子，空白了三年的交集。
该死的你，又在此时缩了缩脖子。
于是当年熬夜织围巾的回忆，又瞬间涌进脑海里。
为什么经过三年空白的孤寂，我还是忘不了你?
可恨的你，狠心的你，为什么你触动我的心弦，依然是如此容易?

围 巾

我们没去吃晚饭，就在马路边聊了起来。
我很怕一移动脚步，就会发现这是在梦境里。
因为在台北时，我已不止一次做过这种重逢的梦了。
岁月并未在你身上留下多少痕迹，你依然健谈而风趣。
最重要的是，你的眼神依然有邪气。
我不敢去看表，因为我担心到了 12 点，灰姑娘又得变回原形。
细心的你，并不提醒我，
你只是静静地陪着我，在这寒冷的耶诞前夕。

我回到了住的地方，根本无法分辨这是梦境还是现实。
经过了三年之久，难道我们都没有改变?
你在大学里求学，我在现实社会中打滚，难道我们真的没有距离?
其实有时候我很恨你，为什么你对一切总是毫不在意?
多少个失眠的夜晚，我渴望听到你的声音，为什么你从不给我只字片语?
拿出了这条围巾，也许，我终于可以在今年的耶诞节送给你。
看到了蓝色的 j－h－t，我不禁又开始犹豫。
以前年轻时，总是冲动而欠考虑。
如今年纪也已不小，便觉得这样送给你，会不会太过随便?
最重要的是，这条围巾已经成为我思念你的习惯。
没有了它，我又该如何去思念你?

再说吧！等我不再需要思念你时，自然会送给你。
1990 年圣诞，你请我吃晚餐，就在长荣路上的朴园餐厅。
坐在你对面，看着既熟悉却又陌生的你。
我试着去找寻过去共同拥有的记忆，也试着从你的眼神中去找寻过去的你。
你果然还是你，不管如何忙碌与受打击，你仍然充满活力。
你的眼神依旧有邪气。
原来你还是杨过，而我也还是小龙女。

我并没有告诉你，今晚我拒绝了 TOYOTA 的邀约，而来陪你。谁是 TOYOTA 呢？
他是我公司的同事，总是开着一辆红色的 TOYOTA 轿车。
所以我们都叫他 TOYOTA。
他家世很好，毕业于台大电机系，但人却很和气。
我这个金庸迷的坏习惯又来了，我一直把他想象成张无忌。
因为很多女孩想接近他，可是他总能轻松地回避。
就像张无忌的那套武功绝学“乾坤大挪移”。
也许又是女孩子的天生直觉吧！
我总觉得他注视我的目光，多了一股温柔。
只是自觉平凡的我，实在无法想象他会对我有兴趣。
但他偶尔会刻意地“顺路”送我回去，
也常常会有朋友“刚好”送他两张音乐会的门票。

所以，我慢慢地也了解他对我的一番心意。

1991 年来了，你的大学生活也只剩下一个学期。
在一个凉爽的三月天，午后下起了雨。
TOYOTA 坚持要送我，因为我没带雨具。
看了看天气，我只好点点头，坐上他的红色 TOYOTA。
望着下着雨的窗外，我又看到在对街上等待着我的你。
仍然是相隔一条马路。
你在蓝色野狼 0.125 的摩托车上，而我却在红色 TOYOTA2.0 的轿车里。
我们互相凝望着十几秒钟，然后车子动了。
你在原地跟我挥挥手，而我的手，却一直僵在车门的把手上。在开或不开车门间，你慢慢地离开了我的视线，也仿佛从此离开了我的生命。
马路上下着雨，我的眼睛也同时下着雨。
那是我最后一次看见你。

后来听说你顺利毕业，并直升上了研究所。
小郭在台中当兵，薇已经变成我的同事，TOYOTA 对我还是温柔而心细。
在 1991 年的圣诞夜里，TOYOTA 送给我九十九朵红玫瑰。
我早已冰冻的内心，仿佛出现了开始融化的痕迹。
而这条围巾，我还是没有机会送给你。
我心一横，想毁去所有关于你的记忆。
点起了火苗，从你六年前写给我的第一张卡片开始烧起。
卡片烧到一半，便让我的泪水浇熄。
信件可以烧去，但已烙印在我心头的你，又该如何拭去?

渐渐地，我思念你的次数减少了。
算是一种逃避吧! 我把这条围巾藏在一个不容易拿到的角落里。我妈常催促我，像 TOYOTA 这类型的金龟婿，绝不能轻易放弃。于是，我慢慢地接受了 TOYOTA 的心意。
在 1992 年的圣诞夜，TOYOTA 送我一个耶诞礼物。
回到家打开一看，才知道是个戒指。
戒指上有一颗红宝石和一颗蓝宝石，旁边镶了很多碎钻。
粉红色的纸条上面写着:

“红宝石是 TOYOTA，蓝宝石是你，旁边的碎钻则是为婚礼祝福的天使们。
我愿用我余生的所有努力，来使你幸福与 happy。请嫁给我吧!”

他的文章虽然比不上你，但也算很感人了，不是吗?
因此，我决定戴上这枚戒指。

再见了，亲爱的你。再见了，蓝色的 j－h－t。
我决定不再当小龙女，因为我即将要嫁给张无忌。

今晚的风，吹得有点像是我把这条围巾围在你脖子上的那个夜里。
于是我放纵自己，恣意地回忆我们在一起时的点点滴滴。
因为过了今晚，我就不应该再思念你，也不应该再为你哭泣。
我把你所有写给我的信件，连同这条围巾，封在一个红漆木盒里。
我也许无法把你忘记，但我可以将你藏起。
我将你藏在衣厨上面最不可能碰触到的角落里。
我心里也明白，这将是我这辈子，最后一次为你失眠。
再见了，我的杨过。
再见了，你的小龙女。

一阵小孩子的哭声，把我拉回了现实。
我手里仍然捧着这条围巾，但桌上已多了几团擦拭过眼泪的面纸。
以前我总是将眼泪滴在围巾上面的蓝色 j-h-t，
现在我当妈妈了，总该学会用面纸擦拭眼泪了吧!

和 TOYOTA 结婚也有五年了，朋友们都喜欢戏称我为 T 太太。婚后没多久，我们就迁居台北，因为 TOYOTA 想在台北创业。三年前我生下一对双胞胎男孩，刚刚就是他们在哭闹。
我记得结婚那天，薇当伴娘，而在军中服役的小郭，也寄来了一份礼。

至于你，通不通知你都没有意义。
创业时的忙碌，带小孩时的辛劳，也几乎让我忘了这条围巾的存在。
要不是今年圣诞赶回娘家来参加薇的婚礼；
要不是翻箱倒柜去寻找那件礼服，我恐怕也无法发现你这个蓝色 j－h－t。

有时常想，如果我将这条围巾送给你；
如果那时我打开车门叫住你，也许我的日子会产生很大的差异。
不过人生不能假设，也不能重新来过。
所以，就让你在你的世界中漂流，而我在我的生活里浮沉吧!

这五年多来，除了在每年的圣诞时节外，我倒是很少想起你。
今年看了部电影《麦迪逊的桥》，由梅丽尔·斯特里普和伊斯特伍德主演。
男女主角最后一次见面时，女主角坐在车里。
而且女主角也是犹豫是否要打开车门，回到男主角的怀里。看到这一幕，我就联想到你，于是在电影院里，我哭泣得不能自已。

小郭现在新竹科学园区工作，他生命里的黄蓉也已经出现。
至于你，听说你在念博士班。

老天保佑，希望你的邪气已去，不然我很难想象你成为一个博士的样子。
昨天抽空回台南去看看，双橡园餐厅还在，但朴园餐厅已经倒闭。
卖红豆汤圆的那家老店也已不见踪迹。

今年农历春节，我到国中导师家里拜年。
老师说你刚来过，我于是坐在你坐过的椅子上，试着感受你留下的讯息。
其实，我还是很怀念你眼神中的邪气。
第一次的巧遇是在哈雷彗星造访地球的前夕，
下次哈雷彗星的造访，又得经过几十年，也许那时你我都已不在人世。
一直很想知道你现在过得好吗?快乐吗?
最重要的是，像杨过的你，是否已经寻找到属于你自己的小龙女?

jht. 于 1997 年圣诞夜

end

亲密接触
痞子蔡

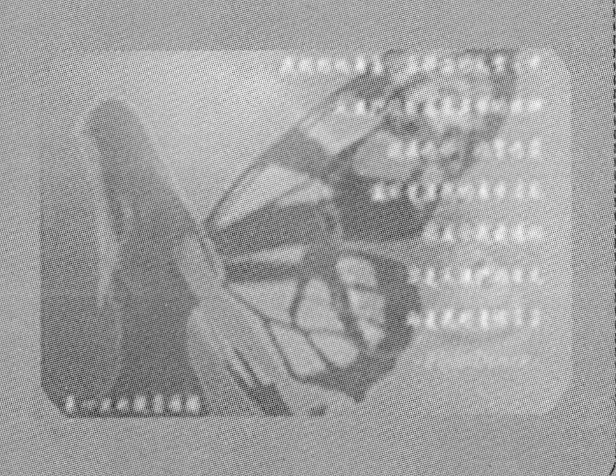

enter

第一次接触痞子蔡

文学的定义是那种我们老了都还要景仰传颂的经典吗?

如果不必严肃看待，那么如今从网路语言所衍生出来的文学作品，也许可以试着看看。

痞子蔡本名是蔡智恒。

29岁第一次写小说，本来只是随手上网进入BBS浏览别人的文章，就像平常那样，只是一个念头吧，几秒后他开始键入《第一次的亲密接触》的开头，有关痞子蔡和轻舞飞扬之间的爱情告白。

如果不是持续地收到广大书迷的伊媚儿，这故事大概不会完成，因为所有的开始不过是：我想写点东西罢了。甚至他连下一集的内容发展，都还在吃饭睡觉、上课下课、电视遥控器的空档间晃荡摸索。“如果我真的有兴趣写作，那早写了，不会等到现在，但在网路上，很多事情是被引发的，想到就做，没有任何人会阻止、限制，而当你按下“SEND”之后一切也就来不及了。”

有太多的人批评网路文学肤浅，充其量不过是长篇的心情留言版。事实真的是这样吗?“会在网路上发表作品的都是年轻人，学生嘛，关心的事有限，不是课业就是爱情，所以你看到的十本大概有八本半都是爱情小说。虽然他们写作技巧不纯熟、深度不够，但是真实性高，相比较起来亲切诚恳。”

“如果你想投稿平面，可能得接受严格删选，但网路不用，不需要任何动机，还不用在乎非要写完的毅力，只要你想，努力写就对了。换句话说，拿平面的标准来要求网路作品是很不公平的，就像质疑在高速公路上看不到行人跟摩托车，可是行人跟摩托车根本进不了高速公路。网路也许没有文学，但它的宽容、包容和鼓励性，值得嘉许。”

不过，当他看到那些批评他文章如国小作文、回去念国中啦、喔，连标点符号都不会用、烂书不必讲……的回信时，他来回走了很久而且头皮发麻，想骂人却又无法回嘴，“他们说我媚俗，我根本不知道俗是什么，又如何媚呢？”我笑着说你有几篇真的很洒狗血，他反而不好意思地用他有诚意的英文 said: oh! please don't。大概莫名其妙的又被贴标签了吧。

平常不看小说、也不怎么接触文学作品，几乎一年365天都在为水利工程写数值程式的他，最爱的就是整天悠哉地过他的南台湾生活，享受公车少、汽车少、小吃好的台南热情，今年最大的任务不是出书而是七月中能顺利从博士班毕业。

与痞子蔡的亲密接触

一篇几乎是在 BBS 上随手涂鸦写下的文字，一夜之间被中文网络的大大小小几乎每个 BBS 转贴，无数人通过网络下载它，这篇小说在几个月时间内成了网络爱情的新经典，这就是《第一次的亲密接触》，它的作者就是痞子蔡。

一、谁是痞子蔡?

如果我还有一天寿命，那天我要做你女友。

我还有一天的命吗?……没有。

所以，很可惜。我今生仍然不是你的女友。

如果我有翅膀，我要从天堂飞下来看你。

我有翅膀吗?……没有。

所以，很遗憾。我从此无法再看到你。

如果把整个浴缸的水倒出，也浇不熄我对你爱情的火焰。

整个浴缸的水全部倒得出吗?可以。

所以，是的。我爱你……

这是《第一次亲密接触》女主角轻舞飞扬在离开人

next

世前，写下的最后的诗句，不知道有多少人被这首诗打动。而作者在描写轻舞飞扬时细致入微的笔触，让大多数人都误以为作者是女儿身，这一点让痞子蔡到今颇为自得。

其实痞子蔡是如假包换的好男儿，他本名蔡智恒，刚满30岁，是台湾成功大学水利系博士班的学生。从成大水利系本科一路读到博士，痞子蔡觉得自己在理工领域实在陷得太深，害怕思维模式全被数字、方程式牵着走。这时他在成大的BBS上找到了新的乐趣，看着许多人在网上用文字聊天、开玩笑、发表小说，感觉非常有意思。他常被很多网上的小说感动，将自己的一些感受和对生活的体验写成帖子贴到BBS上，由此开始了他写网络小说的生涯。先后写了《7－ELEVEN之恋》、《围巾》、《雨衣》。随后他就全力投入了毕业论文写作，他说“如果集一百个网友的掌声，可以换取一个口试委员的签名的话，那么我当然会毫不犹豫地写下任何一个故事，但那是痴人说梦。所以我还是乖乖地求解艰涩的偏微分方程式，并在板上扮演读者的角色。”

从《第一次的亲密接触》开始连载，痞子蔡已经收到数千封信，连他都觉得不可思议的是，还有人远从美国、加拿大写信来说“看了很感动”，甚至南非的读者还问“女主角轻舞飞扬葬在哪里？”网友的热烈讨论，出乎痞子蔡的意料之外，许多人在网上讨论痞子蔡与轻舞飞扬是否真有其人，使得痞子蔡不得不在小说连载完后，再写篇后记，为入迷的读者解谜。有电台向他表示要改写成广播剧，有学生写信说要拍成实验电影。

《第一次的亲密接触》红得很突然，痞子蔡回想起大概是第十六回开始，网络上才热烈讨论这个故事，一时之间成大的BBS站陷入《第一次的亲密接触》风潮中，之后经过不断的转贴，痞子蔡和轻舞飞扬的故事，攻陷了中文网络各大大小小BBS站的故事版。

网络也改变了痞子蔡的生活，刚考上成大研究所的外校毕业生，报到第一件事，就是到水利所找痞子蔡，说一句“我很喜欢你写的那篇小说”，连他那部“蓝色的野狼”，都成为注目的焦点。痞子蔡在成大网站前后写的小说、诗歌《7－ELEVEN之恋》、《围巾》等，已经在网络上被完整集成《痞子蔡全集》，还有人为他设了一个专门的网站，让喜欢他的网友一览他的全貌。

二、为什么写《第一次的亲密接触》？

在1998年3月15日的深夜，痞子蔡研究室外传来了野猫的叫春声还有雨声，他决定写下《第一次的亲密接触》这个故事。因为当时他想到了这几句话：“如果每个人的内心，都像是锁了很多秘密的仓库，那么如果你够幸运的话，在你一生当中，你会碰到几个握有可以打开你内心仓库的钥匙的人。但很多人终其一生，内心的仓库却始终未曾被开启。”

接下来的故事，让痞子蔡自己告诉你吧：“从1998年3月22日，到5月29日，我共花了两个月零八天在网上完成了长达34集的连载。平均两天一集的速度，算快吗?我不知道。因为我以前没写过么长的东西。在网络上写东西是很寂寞的，尤其是我通常在半夜陪伴着生冷的PC，做着重复的Key in动作。”网友们的鼓励，让他最终完成了这篇小说。

《第一次的亲密接触》以痞子蔡一个好朋友的故事为骨干，故事里所有的场景大多是他亲身经历的事。对于故事中的人物，他说：“在现实生活中，我当男配角；但在故事里，我却摇身一变为男主角，因为我是希望浪漫爱情发生在自己身上的人。‘阿泰’的身上有我另一个好友的影子，要描述他很容易。”而轻舞飞扬则虚构的成份比较多，他好朋友的“轻舞飞扬”是被一辆闯红灯的砂石车结束生命的，小说中变成了患病而终。

轻舞飞扬的命运一直牵动着许多人的心，当痞子蔡在网上贴到第25集时，他的信箱中出现了很多为轻舞飞扬求情的信件。那时他曾经试着去改写结局，直到有一天有人告诉他“故事是你写的，你的意见最重要”，他才保留了现在的结局，可是至今还有人责问痞子蔡：“为什么让轻舞飞扬死去?”

三、天蝎座的男人

痞子蔡自认的星座是天蝎座，他的许多帖子署名“天蝎男子”。他写过一首诗《天蝎的原罪》：“你怪我是天蝎/因为我的直觉敏锐/能看透你的一切/内心却不愿被你挖掘/你怪我是天蝎/因为我的爱恨强烈/我的爱让你无法拒绝/我的恨却往往令你情怯/……你怪我是天蝎/因为我有支最毒的蝎尾/轻轻一螫便让你痛彻心扉/毫不留情地将你的心撕碎”。他喜欢《射雕英雄传》里的郭靖和《神雕侠侣》中的杨过，这两个性格完全不同的人物，或许也反映了他性格的双重性。

痞子蔡说他自己在生活中并不像小说里那样细腻温情，人家都说他有点不修边幅。痞子蔡其实有非常温柔的一面，非常重感情，不然也不会写出如此凄惋动人的小说。

当他辗转得知初恋女友出嫁生子的消息后，夜不能寐，写下了一首诗《闻初恋女友生子后有感》：“割席拂袖近十年，褪色青丝染鬓间，只叹孑然无枕伴，卿生两子已能言。”多少古怪，尽在其中。

在他二十八岁生日的晚上，他以对母亲的满腔思念写下了《阿母，我满廿八了!》，痞子蔡小时候身体很差，差点夭折，他母亲根据巫医开出的药方，以七只蟑螂做药引给他服药，后来他母亲总劝他不要打蟑螂，因为它们可说是他的救命恩人。他想起他的母亲，每次在他生日时，总会给他做一碗猪脚米线……就在不经意的对日常生活的点滴回忆中，那种对母亲的爱让人想起朱自清散文《背影》中的爱子之情。

痞子蔡在作品的字里行间透露出的信息，也让痞子蔡的性格隐隐约约浮现。他的很多观点、个性，都巧妙地融入故事中，想要了解他，痞子蔡说：“都写在故事里了。”

《第一次的亲密接触》虽然让他在网络上出名，但是一离开了电脑，痞子蔡跟多数人没两样，依旧是一个普通的成大水利系学生。常有朋友问他：成名的滋味是什么?他说：“网络很虚幻，连名气也是。”他喜欢打棒球、看金庸小说，现在博士论文占去了他大多数时间。

痞子蔡喜欢骑一部已经有 15 年车龄的蓝色的野狼摩托车，他还写了一首《咏机车》的诗："虎啸龙吟震九天，能征善战十余年。追风豪迈今何在，唯我野狼傲世间。"

痞子蔡说写作原本不是他的本行，他还笑称自己可能是"一部作家"，即只写出一部好作品的作家。说来有趣，痞子蔡中学时代的作文，曾被老师以"不像中学生的程度"要求重写。

痞子蔡说自己并没有很好的文学底子，写作是靠热忱，而不是凭实力。许多人说他的风格与村上春树很像，但是他说现在才开始看村上春树，在写《第一次的亲密接触》之前，从未听说过村上春树的作品。他说之所以很多朋友认为他笔触清淡，平易近人，是由于能力问题，而不是风格问题。

很多人都好奇《第一次的亲密接触》这故事的真实性，痞子蔡说："大家何必在网络这虚幻的地方来讨论真实"，即使这样的故事多少描述了他幻想中的爱情境界，痞子蔡还是建议读者："就把它当小说看吧!"但是他不止一次地承认："小说中的男主角的确跟我很像!"

在网上聊天时，有人问他："你所写的小说都是以爱情为主题，你心目中理想的爱情是什么样的?这些故事是不是有你自己的爱情印迹?"痞子蔡说："因为我是创作生手，很难不在作品中反映自己的影子。而且我觉得我在创作时不怎么会挑题材，应该说是生活周遭的爱情故事，不见得是我自己的。理想的爱情是越平淡越好，就像我的写作风格一样。”

痞子蔡现在很少上网了，顶多是收收信而已，他主要利用电脑阅读与获取信息。对于今后的打算，痞子蔡说完成学业后，会尽量写作，另外他不无玩笑地说：“也许会参与建设三峡大坝吧。”

半梦半醒间
痞子蔡炒热网路爱情

《第一次的亲密接触》堪称去年最受欢迎的网路创作，上市四个多月，已经十三次印刷；作者“痞子蔡”被称为“网路上的列奥纳多”，个人网站在去年七月设立之后，已经有超过十万人次上网；美加地区的网友把他的小说翻译成英文；大陆的电影制片厂已将小说改编为电影。除故事本身赚人热泪外，网路文学因此而被广泛讨论，这种种话题皆因蔡智恒而起。

蔡智恒就是“痞子蔡”，《第一次的亲密接触》的作者，也是这篇故事当中的男主角，透过 BBS 认识了女主角，而有了一段荡气回肠的生死之恋。从虚幻浪漫的爱情故事中拉回现实，蔡智恒第一次接触到 BBS 是在两年前，因为房屋出租，藉着 BBS 来发布讯息，因而与它结下不解之缘。“网路是一个很好用的工具，你可以藉着它发布讯息、获取新知，此外，还可以认识志同道合的朋友。”但他并不喜欢去聊天网站：“那很浪费时间。许多人交网友是为了新鲜感，但一旦新鲜退去，开始感到腻的时候，却发现自己对网路像患了烟瘾一样无法戒去，这是非常痛苦的。而且，许多人都忽略了身边周围的宝藏，反向深山远处求，很不实际。”他认为：“网路虽然是一个好工具，但重点在于使用者懂不懂得适当地运用。”

蔡智恒在 BBS 上发表这一篇文章，动机非常单纯。“起初只是为了满足自己的发表欲。”目前尚在就读水利工程博士班的蔡智恒说，“写这篇故事的过程中，曾经因为太累、没时间，而有中断的想法，但想到有越来越多的人期待这篇文章的继续，为了让读者不失望，只有硬着头皮写下去。”因此痞子蔡和轻舞飞扬的爱情故事，开始在网路上流传。

很多人关心这篇故事的真实性。蔡智恒毫不保留地说：“就是一篇小说嘛! 有一小部分是真实的，大部分是自己想像的。”至于美丽的“轻舞飞扬”是否真有其人，“是有这样的一个女孩给我这样一个灵感，但在匿称及 plan 方面，则是我在半梦半醒之间想到的。”看来，写作除了要有灵感外，天赋还是很重要的。

因《第一次的亲密接触》这一篇网路爱情小说而声名大噪的蔡智恒，并没有因此而改变生活。“其实人家只认识网路上的痞子蔡，我这个人并没有红呀! 走在校园与学弟学妹擦身而过，也没人知道我就是痞子蔡。”作品发表后，除了赞美，自然也有一些批评。“很多人看完小说，会把作者与主角混为一谈，因此有人会批评我把网路上的女生比喻成恐龙，是将女性‘物化’，是一种沙文主义。事实上，这样的形容词并不是我发明的，是网路上沿用已久的说法。”不过，蔡智恒心态倒是平衡得不错：“其实这样也算是一种成功啦! 表示读者已经融入了这样一个故事内容。”

对于有人认为这篇小说称不上是文学作品，蔡智恒则持不同的看法：“不否认的，我并没有很多阅读经验，但是，文学不能永远像科学般的枯燥及照本宣科，必须要实用，要让读者能接受。所以我觉得能让读者阅读得很轻松、单纯，就是一个好作品。”至于作品被人定位为网路小说，或是网路文学，蔡智恒并不以为意。“究竟是在网路上发表的作品称为网路文学，还是作品当中一定要提及网路才称为网路文学，目前尚无定论，这个问题还是留给下一代去伤脑筋。”此时，蔡智恒倒充分发挥了痞子的精神。

对于许多人期待，是否会有第二次、第三次亲密接触的续集出现，蔡智恒的答案可能让许多读者失望。但是，将写作视为单纯玩票的蔡智恒，将会不定期地在其网站上发表新作品，喜欢痞子蔡的网友及读者，不妨可以上网观看。